小峰和子 ［著］

# 一陽来福

── 観蔵院曼荼羅美術館の七十二候 ──

青史出版

## はじめに

　今から五十数年前の大学生時代、日本文化の探求に優れた、素敵な先輩がいました。卒業後その先輩は、事あるごとに季節の便りを送ってきてくれました。そこにはアララギの歌人だった母が、日頃口ずさんでいた柔らかく温もりのある、優しく懐かしい言葉が綴られていました。ずっと後になって、それが彩り豊かな日本の四季を、季節ごとの鳥や虫、植物、天候などの様子を細やかに表した七十二候と知りました。

　立春、雨水、啓蟄、春分……と、このように春夏秋冬を六つに分けて一年間を二十四の季節に分けたのが、よく知られている二十四節気です。七十二候はそれをさらに三つに分けて、一年を通して五日ごとに季節の行事や旬の食べ物、鳥や草花、樹木など、その時々の季節にそった言葉で書き表しています。所々に美しいやまと言葉が散りばめられていて、いにしえの言の葉（ことのは）に触れることができます。この二十四節気の節と七十二候の候を合わせて、気候という言葉ができました。この二つを合わせた気候そのものが大切な言葉で、農耕民族である日本人が農耕作業を進めるための季節の移ろいが事細かに示されているのです。

　「二十四節気」は中国の戦国時代に生まれた暦で、中国の中原（中華文化の発祥地）の気候をもとにしています。しかし日本で体感する気候とは違うため、日本と季節感が合いません。そこで日本の暦では、これらの事情を日本に合わせるために、内容に変化が加えられました。ひと昔前の生活は、朝から晩まで、ゆっくりと時間が流れていたような気がいたします。月や星、風、雨、花も、鳥や昆虫までも、365日その時々の季節に寄り添って生活を楽しんできました。

　今、電車に乗ると十人に八人は携帯を見ています。後世にこの美しい暦の生活は伝えられるのでしょうか？　ちょっと心配になります。

　時々娘が「月が綺麗だよ……」「夕日が綺麗だよ……」と知らせてくれます。私はちょっと安心いたします。心豊かに育ってくれたと……。現代は何もかも便利になりました。なのに人々は、以前よりずっと忙しい日々を送っているように思えます。七十二候の季節感は、それを感じるだけで心が和みます。新たな発見を見出すたびに、心にゆとりを感じます。この美しいかけがえのない暦生活が、後世にまで続けられますよう願っております。

小峰和子

# 目　次

はじめに

## 春

## 夏

# 秋

# 春

観蔵院の春

# 第一候（立春初候）「東風解凍」[はるかぜ こおりをとく]

2月4日〜8日頃

　春の暖かい風が川や池、湖の氷を解かし始める頃。

　東風は中国で古くから親しまれている陰陽五行説において、東が春を表すことから東の風と書いて「こち」と読み、春先に吹く東寄りの柔らかな風のことをいいます。

　東風は春の季語で、菅原道真の「東風吹かば匂ひおこせよ梅の花、主なしとて春な忘れそ」（『拾遺和歌集』巻第十六）をはじめ、多くの和歌や俳句に詠まれています。また春先、東に向かって長く真っ直ぐに伸びる梅の枝を東枝と言います。東枝は散杖と言い、仏事の折、洒水器の浄水を散布し、法要のはじめに、その儀礼の空間と身体を清浄にするための法具です。

節分会　豆まき

　私の娘は1月2日に生まれました。アララギの歌人だった私の母がこの枝のように真っ直ぐに育つようにと願って東枝と名づけてくれました。しかしお手伝いさんが春江さんだったため、「はるえ！」と呼び捨てになるのは申し訳ないという事で、東子になりました。

　「七十二候」では、この候が第一候となり、一年の始まりでもあります。そして、古く中国から伝わった「二十四節気」の「立春」の前日は、節分と決められています。

　節分は、雑節の一つで年に4回訪れる立春・立夏・立秋・立冬の前日を指す言葉でした。しかしいつからか、一年の始まりである「立春」の前日のみを「節分」と呼ぶようになりました。

　全国有名寺院仏閣で、有名人が参加しての節分会に行う豆まきは、季節の変わり目に起こりがちな病や災いを鬼に見立て、それを追い払う儀式です。宮中の節分会で行われていた「追儺」という鬼払いの儀式が広まったものです。

　我が家では、鬼のお面を被った誰かが鬼（その年の悪いもの）になって、その鬼に大きな声で「鬼は〜外‼　鬼は〜外‼　福は〜内‼　福は〜内‼」と2回、家族全員が大きな声で唱えながら豆をまきます。ご本堂から始まり、各所の悪いものを追い払うため、窓や戸を開けてその間を鬼が行ったり来たり、豆が当たったり当たらなかったり、そ

節分会　恵方巻き

の後、まいた豆を年の数（+1）だけ食べるのが習わしです。火で炒った豆は邪気を払ったという意味で「福豆」と呼ばれています。この福豆を体に取り入れ無病息災を願います。ちなみに私は80粒いただきます。3日位楽しめそうです。さらに、縁起の良い物（恵方巻き）を食べる、新しい季節を迎えるための大賑わいの行事です。

　我が家は全員関東産なので、恵方巻きの習慣はないのですが、今年（令和5年）は新型ウイルス撲滅を願って、縁起物の恵方巻きに挑戦。七種の具入りの恵方巻きを十三本。今年の恵方は北北西。お陰さまで今のところ家族全員（十三名）元気にしております。

　　Setsubun is the event held to pray for our happy and healthy life.
　　On that day, we throw away beans with saying "Devils out! Happiness in!"
　　Setsubun is the event held to pray for our happy and healthy life.
　　On that day, we throw away beans with saying "Devils out! Happiness in!"
　　Also we eat "Ehoumaki" that is thick sushi roll.
　　It is regarded as good thing to eat Ehoumaki in Setsubun.

# 第二候（立春次候）「黄鶯睍睆」〔うぐいす なく〕

2月9日〜12日頃

　山里で鶯が鳴き始める頃。春の訪れを告げる鶯は「春告鳥（はるつげどり）」とも呼ばれます。

　　嗚呼　めづらしの　しらべぞと
　　聲のゆくへを　たづぬれば
　　緑の羽（はね）も　まだ弱き
　　それも初音か　鶯の

　　　　　　　　　　〔島崎藤村『草枕』より〕

　鶯は梅の花が咲く頃、人里近くで鳴くので「春告げ鳥」の異名があります。初音（まだ「ホーホケキョ」とは鳴けません）はその年の初めてのさえずりの事で、「ささ鳴き」といわれる「チャ・チャ・チャ」という鳴き方です。

　また、鶯のその鳴き声が「ホーホケキョ」（法　法華経）と聞こえるところから「経読鳥」ともいわれます。

　子供の頃から良く「梅に鶯、紅葉に鹿、牡丹に唐獅子、竹に虎」を対で聞かされました。

3

観蔵院旧山門・梅酒・梅

その「梅に鶯」の鶯が春告鳥なら梅は春告花なのです。

中国の四字熟語に「雪中四友」という言葉があります。雪中四友は早春に咲く梅、水仙、山茶花、蝋梅の事で、古来中国の文人が好んで描いた画題です。

文人画は精神性が深く表出されている絵として我が国でも高く評価され、どれも日本人に愛されている花たちです。

平成に代わる新元号はこの梅に因んで、「令和」と2019年4月1日に閣議決定されました。出典は、現存する最後の歌集『万葉集』第五、梅花の歌三十二首。「初春の令月にして、気淑く風和ぎ、梅は鏡前の粉を披き、蘭は珮後の香を薫らす」からで、考案者（令和の名付け親）は国文学者中西進さんの「万葉の心」です。

四十数年前、10年間お世話になった石神井の三寶寺からこの南田中の観蔵院に移転した時、境内には大きな梅の木が8本あって、瀟洒な古い門を抜けると一瞬に梅の香りに包まれて、早春を独り占めしたような幸せな気分になりました。初夏になると梅の葉が大きく伸びて地面は苔むし、鬱蒼としていました。そこに実る梅は南高梅、白加賀などの大きな実で、多い時は100キロ以上採れました。欲しい人に差し上げたり、梅酒にしたり、そして幼少の頃から聞かされていた「うめぼしのうた」を思い浮かべて梅漬けにしました。この歌は明治時代から大正時代にかけて、尋常小学校の国語教科書に掲載されていた詩で、大正元年生まれの母が梅を漬けながら口遊んでいました。今は涙が出るほど懐かしい懐かしい素晴らしい歌です。

　　うめぼしのうた
　　二月三月花ざかり、
　　うぐひす鳴いた春の日の
　　たのしい時もゆめのうち。

　　五月六月実がなれば、
　　枝からふるひおとされて、
　　きんじょの町へ持出され、
　　何升何合はかり売。

　　もとよりすっぱいこのからだ、
　　しほ（塩）につかってからくなり、

境内の蝋梅

しそにそまって赤くなり、
七月八月あついころ、
三日三ばんの土用ぼし、
思へばつらいことばかり、
それもよのため、人のため。

しわはよってもわかい気で、
小さい君らのなかま入、
うんどう会にもついて行く、
ましていくさのその時は、
なくてはならぬこのわたし。

〔作者は芳賀矢一　作曲者は櫻井映子との事〕

## 第三候 （立春末候）「魚上氷」［うおこおりをいずる］

2月14日〜18日頃

　凍っていた川や湖の表面が薄くなり、割れた氷の隙間から魚が飛び跳ねる頃となりました。この春先の薄く張った氷や解け残った氷は「薄氷」、「春氷」、「残氷」、「浮氷」、北海道では「流氷」、「蓮葉氷」などと呼ばれています。

　まだまだ寒い日が続く雪国に吹く風も次第に柔らかくなり、寒い間、冷たい水の底でじっとしていた魚たちも、春の訪れを感じ、元気に泳ぐ姿が見え始めます。

　「薄氷」「うすごほり」は、和歌の世界では「うすらい」として登場して、俳句では春の季語になっています。早くは『万葉集』に登場しています。

　　山川の薄氷（うすらい・うすらび）分けてさざ波の立つは春べの風にあるらむ
　　　　　　　　　〔曾根好忠『私家集』より〕

　早春の暖かな風が氷を解かし始める情景を詠んでいます。

　また薄氷は「はくひょう」と音読みをすると、「薄氷を踏む」（紀元前六世紀頃に成立したと見られる中国最古の詩集『詩経』の「戦戦兢兢、深淵に臨んで薄氷を履むが如し」に由来している）という春ののどけさとは全く違う慣用句となり、春氷は虎の尾を踏んで、春の厚みの無い氷の上を歩くという意味から。「虎尾春冰」と言う四字熟語となり、どちらも極めて危険なことのたとえ。または危険なことをすることのたとえです。

観蔵院では、月に1回（第二日曜日の午後3時〜4時30分）「写経・写仏会」、月に2回（第二、第四火曜日10時〜16時）仏画教室を行なっております。写経・写仏のメリットは、自分の内面とじっくり向き合うという事です。

　仏画教室は、40年続いております。参加者は、芸大を首席で卒業、作品は大学にお買い上げになられた染川英輔画伯のご指導を求めて、新幹線で通ってこられる方から、近親者を亡くされ心の安寧を求めて来られる方、厳しい社会の中で強く生き抜くために心の拠り所を求めてこられる方などと、さまざまです。

写仏

　107歳で亡くなった私の母は「仏さまを描いたり、写経をすると、良く眠れるよ」と、口癖のように言っていました。母はそれだけではなく、折り紙はおひなさま、セーラー服の女の子など、難しい折り紙を綺麗に折ったり、子供の頃の情景を絵本にしたり、短歌を詠んだり、既製服のない頃は手編みのセーターを姉と私にお揃いで編んでくれたり、いつも時間を有効に使い何かに没頭している人でした。そんな後ろ姿は眩しいほど魅力的でした。6人姉妹の長女だったためか困難にあっても嘆かず、狼狽えず、毅然としていました。

　では、なぜ母はそこまで出来たのでしょう。それは母には「心の拠り所」があったからなのです。

　一般的に「心の拠り所」は自分の心を支えてくれる何かや、生きがいを意味する言葉です。それは人さまざまで、趣味であったり、ペットであったり、友達、連れ合いなどさまざまです。しかし、心の拠り所がその存在だけにある場合は、それがなくなると精神的に追い詰められてしまうのではないでしょうか。

母の心の拠り所は、母自身の心の中にあったのだと思います。ペットも趣味も友達も連れ合いも長い人生において大切なものです。私も絵画、登山、旅行、音楽鑑賞、料理、友達、連れ合いと、大切なものが沢山あります。しかし、その中で自分自身が心の拠り所になると、心に余裕ができて、何かに依存したり、ストレスを感じたりしなくなり、精神的な強さや自信も自然に生まれるような気がいたします。それには困難なことに立ち向かっていく覚悟が必要でしょう。その覚悟こそが物事の酸いも甘いも受け入れられる柔軟さと強さ

亡き母の思い出

なのだと思います。自分自身を振り返ってみると、1980年代、この頃から中学生の校内暴力が社会問題化して来た時代に、私は子供3人（当時中学1,2,3年生）を育てました。そこで死んでしまいたいくらいの困難に遭遇しております。一番大変だった時、私は十二神将の伐折羅大将（新薬師寺）を描いておりました。辛くて苦しくてどうする事も出来なくて、ひたすら描きました。祈りながら…

　それは、2年間続きました。絵が完成した時、いつの間にか困難も解決していました。「雨降って地固まる」。私たちは、多くを学びました。この経験は宝物だと思っております。一つの事に没頭する事で自分の内面とじっくり向き合う事が出来て、その事がいつの間にか心の拠り所となっていたのだと思います。心の拠り所は意外と身近な所にあったのです。

　この貴重な経験は、自分自身のあり方について、他の人に対しても向けられるようになったような気がいたします。

　コロナ、自然災害等、ストレス社会に生きる現代人の多くの人に、自分自身を心の拠り所にすることを目指すことをおすすめします。困難なことかもしれませんが、ぜひ時々自分の内面とじっくり向き合うという努力から始めてみてください。「明けない夜はない」のです。

---

# 第四候（雨水初候）「土脉潤起」〔つちのしょう うるおいおこる〕

### 2月19日〜23日頃

　あたたかな雨に凍てついた大地が潤い、眠っていた植物が芽吹き始め活気づく頃。

　北国では寒さで凍っていた大地が、温かな春の雨でうるおい、土の中でじっとしていた生き物たちが眠りから覚める頃、春はもうすぐそこまで来ています。

　中国発祥の七十二候の「土脉潤起」は、元をただすと「獺魚祭（たつうおをまつる）」という時候でした。中国でのこの候は「カワウソが捕まえた魚を岸に並べるころ」のようです。中国と日本は季節感が異なるため、江戸時代に日本の風土に合わせて新たに作られたのが「土脉潤起」です。

　私は下戸ですが、観蔵院曼荼羅美術館の両部曼荼羅をお描きになった染川英輔画伯のお好きな日本酒に、「獺祭」という銘柄の山田錦で作った美味しい日本酒があり

蕗の薹　観蔵院境内

吉祥天　部分　小峰和子画

大日如来　部分　小峰和子画

ます。「獺祭」の言葉の意味は、獺（カワウソ）が捕らえた魚を岸に並べてまるで祭りをするようにみえるところから、詩や文をつくる時多くの参考資料等を広げちらす事をさします（蔵元のホームページより）。これは晩唐の詩人李商隠が、その光景から自らを「獺祭魚」と号した事に由来していると思われます。

　私が生まれ育った本庄町（現在の埼玉県本庄市）は、ここ練馬より少し北に位置していたので、空っ風と言われる赤城下ろしが冬の間吹き荒れて、雪国とは違った冬の厳しさがありました。その寒い季節を乗り越えた春の土は、匂い立つほどの大地のエネルギーを感じる存在でした。

　そんな気持ちを表わした春の季語には「春の土」、「土恋し」、「土匂う」、「春泥」などがあります。また、このころの時候の挨拶は「三寒四温の候、皆様お変わりなくお過ごしのことと存じます」「三寒四温の時節柄、どうぞご自愛くださいませ」「三寒四温となりだいぶ暖かくなりましたが、如何お過ごししょうか」などと、三寒四温を繰り返し、やっと春が近づいた事を意味する言葉を使います。

　また三寒四温は、患っている人に対して「三寒四温で確実に回復する事を祈っております」などとも使われています。

　太宰治は『新釈諸国噺』の中で、「仕合わせと不仕合わせとは軒続きさ。ひでえ不仕合わせのすぐお隣は一陽来復の大吉さ。」と言っています。この一陽来復、厳しい季節が去り暖かな春が来ることを意味している事から、すなわち悪いことが続いたあと、ようやく物事がよい方に向かうこと。大変な時が過ぎて次第に幸運が開け始めることを意味します。

　それでは「幸運は願えば叶う！」のでしょうか？

　いいえ、幸運はどんなに願っても叶わないでしょう。宝くじは運がよければ当たるかもしれません。しかし、願いは心のつぶやきでしかありません。人はそれぞれ様々な願いがあり、その願いを叶えるためには、日々その願いに向かって努力する必要があるかもしれません。

　仏教ではこれを精進するといいます。すなわち一つのことに精神を集中して励むこと。一生懸命に努力すること。そして続けること。継続は力なり……継続するだけで道は開けるのです。

# 第五候（雨水中候）「霞始靆」〔かすみ はじめてたなびく〕

2月24日〜28日頃

　七十二候が中候になり、春霞がたなびき始める頃となりました。
　靆は、「棚引く」、「棚曳く」とも書きます。これは、霞や雲が薄く層をなして、横に長く引くような形で空に漂う様子を表しています。
　霞とよく似た現象に靄、霧、ガスがあり、どれも遠くの景色がぼんやり見える現象です。この情景を万葉人は

　　久方の天の香具山　この夕べ　霞たなびく　春立つらしも
　　　　　　　　　　　　　　　　〔柿本人麻呂歌集（1812）詠み人知らず〕

と著しました。この他『万葉集』には霞を読んだ美しい和歌が50首近くあります。ここで使われている「立つ」は「顕つ」の意で、あきらかであること、はっきり目に見えると言う意味です。
　また、松尾芭蕉は「春なれや名もなき山の薄霞」と詠んでいます。俳句にも霞を詠んだ句が多数あります。俳句の世界では「霞」は春の季語、「霧」は秋の季語となっています。
　霞は遠くの現象でその中に入ると霧になります。
　私は20数年前、それを実際に体験しました。モンゴルへ単身ウイチュールと呼ばれている古い細密画を探しに行った事があります。見渡す限りの草原で、突然激しい雨に襲われました。古いロシア製のジープだったので、雨が車の中に入ってきて大変でしたが、数分後突然雨が止み、草原に突風が吹き、見渡す限りの大きな草原がオレンジ色に輝いたのです。草原の輝きは、一瞬のことでしたが、次は神さまが降りて来られる？　と思った瞬間、前方に大きな虹が……見る見るその虹は2段になり、360度見渡す限りの草原のはるかな左前方の地平線から右前方の地平線にかかるほどの大きな大きな虹になりました。そばにいたモンゴルの人たちも「こんなに大きな虹は初めて、しかも2段だ！」と驚嘆！　それから車はその虹に向かって走りました。虹の中に入ったのです。するとそこはもう虹ではなく霧の中でした。

小峰和子モンゴル絵画探訪の旅（単身）

幾重にも重なる遠くの山々がぼんやりと霞んで見える美しい日本の風景は、昔から文学や絵画、音楽の世界にも数多く登場してきました。この情景を絵にするとぼかしの技法を使います。

　観蔵院曼荼羅美術館の両部曼荼羅（染川英輔画）の、1800の尊像のうち、ほとんどの仏様は千三百年前から伝わる伝統的な日本画の技法で描かれています。特に隈取りという技法は、ぼかしや濃淡を表現する時に使う装飾的な効果を出すための技法である為、仏教絵画のみならず、全ての日本画に使われています。

　　　かすみか雲か ほのぼのと
　　　野山をそめる その花ざかり
　　　桜よ桜 春の花

　　　のどかな風に さそわれて
　　　小鳥もうたう その花かげに
　　　いこえばうれし 若草も

　　　親しい友と 来てみれば
　　　ひときは楽し その花ざかり
　　　桜よ桜 春の花

〔作詞：勝 承夫　　作曲：ドイツ民謡〕


　子供の頃、良く母と歌っていた美しい春を優しく歌った懐かしい歌です。

---

# 第六候（雨水末候）「草木萌動」［そうもく めばえいずる］

### 3月1日〜4日頃


　七十二候が雨水の末候になり、寒い冬を耐え忍んだ草木が暖かい日差しに誘われて、大地や草木から小さな命が一斉に萌え出す頃となりました。

　この頃の時候の挨拶に「一雨ごとに暖かさがまして」という言葉があります。この時期になると低気圧が日本列島を頻繁に通過するようになり、雨が多く見られるようになります。そこで厳しい冬を乗り切った時季のそんな雨は、「木の芽起こしの雨」と呼ばれています。

　陰暦2月の別名は如月ですが、木々が芽吹く時期ということで、「木の芽月」の異称も

あります。そしてこの時期に吹く風は「木の芽風」、降る雨は「木の芽雨」、晴れれば「木の芽晴れ」などと呼ばれています。

待ちに待った春の到来ですが、「木の芽時」と言う言葉を聞いただけで、鼻がムズムズ、目がしょぼしょぼしてくるという花粉症。その花粉症は、今は2人に一人が花粉症と言われるくらい多くの人が患っています。

今から44年前の1979年、社会問題として初めて「国民病」に挙げられました。直接の原因は、スギやヒノキの花粉であるということは確実なようです。私は昭和18年生まれですが、1944年（昭和19年）、日本少国民文化協会が行った国民歌歌詞の懸賞募集の第1位入賞歌に「お山の杉の子」という歌がありました。懐かしいその童謡は、2〜3歳のころから、NHKのラジオで放送されたのを聞いていました。戦後のどさくさの中でその歌が聞こえてくると歌詞の意味は分からなくても、その美しい歌声に感動し、子供ながらに漲るエネルギーを感じたものでした。戦後、戦時色が強い歌詞の部分、問題ありということで、サトウハチローが補作して、NHKの「みんなのうた」になったと知りました。戦時色が濃いとはいえ、特に「なんの負けるか　いまにみろ　大きくなったら　国のためお役に立って　見せまする」の国を人に変えたら　私は良い歌だと思います。

今、周りを見回すと、いじめ、ひきこもり、薬物依存、自殺、DV、児童虐待、アルコール依存症、オレオレ詐欺、神経性食思不振症、通り魔、放火、もっとも理解できないのが

観蔵院曼荼羅美術館収蔵品　豆雛

観蔵院曼荼羅美術館収蔵品　ひな人形

「人が死ぬところを見たかった」という理由での殺人、動物を殺めたり……恐ろしいことです。

子どものころ、お茶碗にご飯粒が一粒でも残っていると、父に「一粒も残さず食べなさい」と叱られました。お米が出来るまでには大勢の人が携わってきたのだから、食べる時は「いただきます」と食前のあいさつをして、すべての人々に感謝の気持ちを表しなさいと教えられました。

数十年前、北陸の小学校での事。この学校ではお弁当を食べる時、必ず「いただきます」と手を合わせてから食べていたところ、「手を合わせるのは宗教の強要だ」と都会から転校してきた父兄から苦情が出て、それ以来「いただき

ます」は、廃止されたと聞きました。

　私は、一粒のお米に限らず、魚も肉も野菜もすべてかけがえのない「命」であり、その命を私たちの命にさせて「いただきます」と、それぞれの食材、携わった人たちに対して感謝する気持ちなのだと教わりました。

　また、会社で若い女子職員が、毎回お取り寄せの丼物を残すので、見かねた上司が、「多すぎるのなら先に他の人に分けたらどうですか?」と言ったところ、「これは私がお金を払って頼んだのですから、私がどのようにしようと他人に言われる筋合いはございません」と、言われたそうです。

　手を合わせる、合わせないは別として、一粒のお米に対する感謝の気持ちは、他を思いやる大切な心で、全てに通じるような気がいたします。

---

# 第七候 (啓蟄初候)「蟄虫啓戸」[すごもりのむし とをひらく]

### 3月5日～9日頃

　七十二候が啓蟄の初候になり、冷たい地中で寒さに耐えて冬ごもりしていた虫たち(古くは蛇やカエルも虫と言いました)が、土の中に届いた暖かい春の気配を感じて、地上に姿を現し始める頃となりました。

　漢字、「蠢く」は春の下に虫がふたつ。まさにこの時期にぴったりの言葉です。

　日本の古くからある行事に「事始め」「事納め」があります。

　ちょうど啓蟄の3月8日は田畑を耕す農耕民族にとっては「事始め」になり、12月8日は「事納め」になります。

　「事」とは、もともと祭りを意味する言葉のようです。

　逆に12月8日が、「事始め」になるのは、コトノカミサマと呼ばれる「年神様」をお祭りする準備に入る日で、3月8日が「事納め」です。

　また、この時期になると、大陸から移動性の高気圧と低気圧が西から東へと移動します。低気圧は前線を伴うことも多く、春の季語になっている「春雷」は、この前線が通過するときに発生する界雷で、雹を降らせる事もあります。冬ごもりをしている虫たちに、冬の終わりと、春の到来を雷鳴で知らせるという事から「虫出しの雷」ともい

石神井公園

われています。

　一般に雷は夏に起きる現象ですが、春雷、寒雷、秋雷という言葉があるので、四季を通じて起きる現象と言えます。

石神井公園　三宝寺池

　境内に小さな池があり一年中水の音がして、メダカがすいすい。夏には綺麗な大賀蓮が咲き、来る人を楽しませてくれているのですが、この時期になるとどこからともなく殿様蛙があちらこちらからやってきて、グゥワッ、グゥワッと蛙のコーラスが始まります。そのうち池が真っ黒に蠢き始めます。その正体はオタマジャクシさん。ほっておくと飽和状態になり大変な事に……

　ご近所の観察好きな子供たちにあげたり、あの手この手なのですが、何せその数は池が黒くなるほどです。今ではそうなる前に蛙さんにお引越しをしていただいております。行き先は、ここから徒歩5分の石神井川……ご先祖さまはこの川がお住まいだったと思われますので……

　　鳴り傳ふ春いかづちの音さへや　心燃えたたむおとにあらずも
　　　　　　　　　　　　　　〔斎藤茂吉（1882-1953）『あらたま』〕

# 第八候 （啓蟄次候）「桃始笑」〔もも はじめてわらう〕

3月10日〜14日頃

　七十二候が啓蟄の次候になり、桃の花が咲き始める頃となりました。

　「花が笑う」と言う表現は大和言葉と呼ばれるもので、日本に大陸文化が伝来するよりも前から飛鳥時代の頃まで大和の国で話されていたとされる、外来語や漢語以外の日本語の固有語です。

　奈良時代末期に成立したとみられる、『万葉集』（日本に現存する最古の和歌集）の中にはいくつか花笑むの歌が登場しています。

　　道の辺の草深百合の花笑みに　笑みしがからに妻と言ふべしや
　　　　　　　　　　　　　大伴家持　（1257）

夏の野の　さ百合の花の花笑みに　にふぶに（にこやかに）笑みて逢はしたる
　　　　　　　　大伴家持　（4116）

観蔵院曼荼羅美術館正門

　どちらも、野に咲く百合のように微笑む、美しい女性を「花笑む」と例えています。現在、春の季語として使われている「山笑う」も、花笑むと同じく大和言葉です。どちらも厳しい冬を乗り越えて、暖かな春を感じ、辺り一面の野山の緑が一斉に活気付いた光景を、笑っていると表現した言葉です。

　万葉の昔から「笑う」は、世の中を明るくする幸福の言葉だったようです。子供の頃、父によく言い聞かされた言葉があります。「いつもニコニコしていなさい。笑顔は人を幸福にするから」でした。

　観蔵院曼荼羅美術館のコンセプトの一つに「いらした方には、美術作品を観るだけでなく、心に感じて笑顔でお帰りいただく」があります。

　「笑顔は世界の共通語」、「楽しいから笑うのではない、笑うから楽しいのだ」、「愛嬌とは自分より強いものを倒す柔かい武器である」（夏目漱石）、「怒れる拳　笑顔に当たらず」、「笑門来福　笑いの絶えない家には自然と幸福がやって来る」、「箪笥長持ち持ってくるよりも笑顔一つの嫁が良い」。

　等々、笑顔に関しては、枚挙にいとまがない位たくさんあります。「笑顔」は、まずお金がかかりません。また微笑んでも良い環境であれば、いつでもどこでも笑顔は作れます。作り笑いでも良いのです。笑顔は周りの人を幸せな気分にするだけでなく、本人が幸せ気分になり、たくさんの幸運を引き寄せることができます。

　我が国最初（推古天皇12年604）の憲法、聖徳太子が制定した「十七条憲法」の第一条は「和を以て貴しとなす」です。『故事ことわざ辞典』によると「何事をやるにも、みんなが仲良くやり、いさかいを起こさないのが良いということ」ですと。

　この情景を思い起こすと、暖かな心地良い春。「笑顔がいっぱい！」「太陽がいっぱい！」です。

観蔵院曼荼羅美術館本館

観蔵院曼荼羅美術館別館
「ロク・チトラカールの世界」

ウクライナの人たちに、1日も早く安心して笑顔で暮らせる日が戻りますよう……
世界が平和でありますよう……祈ります。

---

# 第九候（啓蟄末候）「菜虫化蝶」［なむし ちょうとなる］

３月15日〜19日頃

七十二候が啓蟄の末候になり、長く厳しい冬を越した菜虫が羽化し、美しい蝶になり、飛び交い始める頃となりました。

春と言えば菜の花、都会ではあまり見ることのない一面の菜の花畑。この時期になると故郷の今は亡き父や母と、第二の故郷ネパールを思い起こす懐かしい風景です。

　　見下ろせば　一面の菜の花迎えおり、ヒマラヤの麓　仏の国は　　　小峰和子

1998年3月、お釈迦さまも見たであろうヒマラヤと、100年以上前にチベット大蔵経600巻を鎖国中のチベットから、日本へ持ち帰った冒険家で仏教学者の河口慧海の足跡を辿って、残雪の歴史街道を馬に乗って行きました。バンコクからカトマンドゥのフライトは、きっとヒマラヤは右に見えるはずと右側の窓際を予約しました。ネパールに近づくと遥か右前方に一際目立つ雲の流れがぼんやり見えてきました。だんだん近づくと何と、それがヒマラヤ山脈だったのです。8千メートル級の山が11峰。眼下には、カトマンドゥの大地に黄金の絨毯を敷き詰めたかのように輝く菜の花畑が私をお出迎え。これがお釈迦さまのお生まれになったネパール。感動のあまり思わず涙。

この時、偶然出会った『地球の歩き方』のカメラマン有賀正博様との出会いが、現在活動しているNGO活動と曼荼羅美術館別館の「ロク・チトラカールの世界」につながりました。ここでも「ご縁は宝物」を実感しております。

山道を5時間歩き、着いた所は水もトイレも電気もありません。食べ物は、地元の人が作ったチキンカレーを地べたに座ってろうそくの火で、左手で食べます。

ネパールも日本と同じ農耕民族で、

小峰和子のNGO活動（ネパール）

人々は土とともに生活をしています。菜の花の「菜」は、食用にする草本類を総称する語で、食用にする場合は花の咲く前に収穫して、開花後の種からは油を採ります。それが菜種油で、菜の花がアブラナと呼ばれる所以です。

　そして何と言っても菜の花は大地の土の気から生み出された金（黄色）と言う事で、金運アップに効果的があるとされています。この季節になると日本の各地で絶景菜の花畑が登場します。美しい日本の原風景を眺め、幸運を祈りたいものです。

---

# 第十候（春分初候）「雀始巣」［すずめ はじめてすくう］

3月20日〜24日頃

　七十二候が春分の初候に変わり、雀が巣を作り始める季節となりました。

　この時期になると日の出から日没までせっせと枯れ草や枯れ枝を集めて巣作りを始めます。雀は古くから日本人にとって、鳩、カラス、コウモリ、蛙、蝶々、どじょう、ふな、ツバメ、蛇などの生き物の中で、最も身近な存在でした。しかし今、雀の姿はあまり見なくなりました。観蔵院境内でも雀よりインコの方が多いくらいです。農耕民族にとって雀はお米が好物なので害鳥と思われますが、雀は稲にとっての害虫も食べてくれるので益鳥でもあるのです。1950年代、毛沢東の政策で害虫・害獣を駆除する運動が勧められました。お米を食べることで知られていたスズメが大量に駆除されました。雀が減ったことにより本来であれば米の収穫量が増加するはずでしたが、実際は大凶作を引き起こす悲惨な結果となってしまいました。

　雀は、ツバメと同じように、民家など日本家屋の軒先や屋根瓦の隙間に巣を作り、子育

観蔵院薬師堂天井絵
「稲穂と雀」染川英輔画

観蔵院薬師堂天井絵
「竹と雀」片山景雲画

てをします。それは人家を利用して身を外敵から守るためと思われます。その雀を見なくなったのは、日本家屋が少なくなった事と、お米の栽培方法が機械化されて、こぼれ落ちた餌が無くなったためと思われます。

戦後の混乱の中、ラジオから聞こえてくる『雀の学校』(作詞:清水 かつら　作曲:弘田 龍太郎)の歌は、物心ついた頃から聞き親しんだ懐かしい歌です。

また、「雀の涙」「雀百まで踊り忘れず」などの 慣用句や『舌きり雀』などの 昔話などに登場するほか、俳句では「雀の巣」「雀の子」は、春の季語になっているくらい数多く登場します。残念ながら平安貴族たちの詠んだ『万葉集』『勅撰和歌集』などの古典には見当たらないようです。鳴き声や姿が風情に欠けていると思われたのでしょうか。

鎌倉時代に編纂された『玉葉和歌集』に「雪埋む園の呉竹折れふしてねぐらもとむる村雀かな」(西行) がみられます。

『宇治拾遺物語』　3-16 雀報恩の事
　　今は昔、春つかた、日うららかなりけるに、六十ばかりの女のありけるが、虫打ち取りてゐたりけるを、庭に雀のしありきけるを、童部石を取りて打ちたれば、当たりて腰をうち折られにけり。羽をふためかして惑ふ程に、烏のかけりありきければ、「あな心憂。烏取りてん」とて、この女急ぎ取りて、息しかけなどして物食はす。小桶に入れて夜はをさむ。明くれば米食はせ、銅、薬にこそげて食はせなどすれば、子ども孫など、「あはれ、女刀自は老いて雀飼はるる」とて憎み笑ふ。

子供の頃によく聞かされた昔話の『舌切りすずめ』の原文です。

戦後の何もない時、どこからともなく月に数回、巡回してくる紙芝居は、ネットゲームやテレビのない時代に心待ちにしていた子供の頃のワクワク楽しい思い出です。『舌切りすずめ』『桃太郎』『かちかち山』『かぐやひめ』『はなさかじいさん』『うらしまたろう』『さるかにかっせん』『こぶとりじいさん』等々。

昔話の懐かしい日本の文化は、今でも美しい絵本になり語り継がれています。

---

# 第十一候 (春分次候) 「桜始開」〔さくら はじめてひらく〕

3月25日〜29日頃

七十二候が春分の次候になり、桜の花が開き始める頃となりました。うららかな春の日差しに誘われて、あちらこちらから桜の開花宣言が北上してきます。「花」といえば桜を

さすほど、桜が大好きな日本人。

　観蔵院薬師堂（本尊薬師瑠璃光如来立像）の天井絵は、55枚の花鳥風月が1300年前から継承されている伝統的な日本画で描かれています。堂内に一歩足を踏み入れると、鎌倉朱で

観蔵院薬師堂天井絵

彩られた美しい天井絵を仰ぎ見ることが出来ます。この55枚（縦5列、横11列）の天井絵は仏画教室の皆さんが、日本の美しい花鳥風月を染川画伯の厳しい厳しいご指導の下、デッサンから始まり、2年近くの歳月を費やして描き上げた作品で、作者本人の寄贈によるものです。配列の中心には、本居宣長の「敷島の大和心を人間はば朝日に匂ふ山桜花」を題材にした大きな朝日をバックに美しい山桜が力強く描かれています。ほとんどの絵は天然の岩絵の具の群青、緑青、辰砂、胡粉、黄土、コチニール、鎌倉朱、古代朱などを膠で溶いて描いたものです。そして最後に純金箔や純金泥で仕上げました。（11月1日からの特別展にて、どなたでも無料で拝観する事ができます）

　桜は花の代名詞、春の象徴として、古くから和歌、俳句、音楽、絵画などの文化作品に数多く登場してきました。中国（唐）文化の影響が強かった奈良時代は、花は梅の花をさしていました。『万葉集』においては梅の歌118首に対し、桜の歌は44首にすぎません。

　時代が奈良から平安時代に変わり、国風（和風・倭風）文化が育つにつれて桜の人気が高まり、「花」と言えば桜を指すようになりました。今日お正月になると必ず登場するかるた遊びの百人一首には、桜で有名な和歌が6首詠まれています。

09　花の色はうつりにけりないたづらに　わが身世にふるながめせしまに
　　　　　　　　　　　　　　　　　　　小野小町

33　久方の光のどけき春の日に　しづこころなく花の散るらむ
　　　　　　　　　　　　　　　　　　　紀友則

61　いにしへの奈良の都の八重桜　けふ九重ににほひぬるかな
　　　　　　　　　　　　　　　　　　　伊勢大輔

66　もろともにあはれとも思へ山桜　花よりほかに知る人もなし
　　　　　　　　　　　　　　　　　　　大僧正行尊

73　高砂の尾上の桜咲きにけり　外山の霞立たずもあらなむ
　　　　　　　　　　　　　　　　　　　前中納言匡房

96　花さそふ嵐の庭の雪ならで　ふりゆくものはわが身なりけり
　　　　　　　　　　　　　　入道前太政大臣

　これらは、意味もわからない子供の頃から「花の〜」と、上の句が読まれると、次の瞬間下の句の「わが身世にふるながめせしまに」の札にパンと手が行き、姉や兄と競って遊んだ思い出深い懐かしい和歌です。

　昭和63年石神井の三寶寺から南田中に移った時、大きな桜の木が三本ありました。私の育った埼玉県本庄は関東ローム層の砂地でしたので、水たまりはあまりできませんでした。ここ南田中は粘土質で雨が降ると水たまりができました。またここは高台で少し傾斜しているので、水たまりは流れるようにできます。そこに桜の花が散ると花びらが風に吹かれて微かに動きます。夜になり月が出ると月明かりが水に移り雅で幽玄な世界が出現します。

　「花盛り」「花吹雪」「花散る」「花筏」「花万朶（ばんだ）」「花明かり」「花篝（かがり）」といった雅で幽玄な世界を肌に感じて、終日（ひねもす）見ていても飽きないくらいでした。

　明治時代になると瀧廉太郎の歌曲『花』が有名です。

　一番の歌詞は、『源氏物語』「胡蝶」の巻で詠まれた次のような和歌が元になっているようです。

　　春の日のうららにさして行く船は
　　棹のしづくも花ぞちりける
　　　　　　　　　　　　紫式部

観蔵院薬師堂天井絵

---

# 第十二候 （春分末候）「雷乃発声」〔かみなり すなわちこえをはっす〕

3月30日〜4月3日頃

　七十二候が春分の末候になり、初雷が鳴り出す頃となりました。
　初雷は、春一番と同じく立春（2月4日頃）後、初めて鳴る雷の事。あまり聞きなれない言葉です。我が国では雷の種類はその時々に合った呼び名があり、それぞれ俳句や短歌、

文化的作品の題材にもなっています。

　春雷は、米づくりの開始を告げる音という事で知られています。雷の別名は稲妻です。この場合の「つま」は、夫（古語で配偶者両方をさします）で「稲の夫」が稲を実らせる（はらませる）という事のようです。実は雷は山の神の事で、山の神が春雷とともに里に下りてきた時、田の神に変身。つまり田の神と山の神は同じ神様で、私たち農耕民族にとっては大切な神様なのです。その歴史は古く、『古事記』や『日本書紀』にも登場しています。古来の自然信仰や伝説に基づいて今日まで受け継がれているのです。

　現在行われている春場所と秋場所の大相撲の行事は、元は五穀豊穣を占う神事だったようです。その横綱の紙垂、お正月飾りの鏡餅、神社の注連飾り〔しめなわ〕や玉ぐし、ラーメンのどんぶりの周りの雷文なども、五穀豊穣を願う神事と深い関係があったのです。

　宮沢賢治は、花巻農学校で教鞭をとっていた時「注連縄（しめなわ）の本体は雲を、細く垂れ下がっている藁は雨を、紙垂（しで）は雷（稲妻）を表わしている」と教えたそうです。

　俵屋宗達の襖絵、国宝「風神雷神」の図も、風と雷の神様は、鬼の姿をしています。雷が神様という事がよくわかります。

子供の頃「地震、雷、火事、親父」と人々は恐ろしいものを順番に数えていましたが、当時は本当にこの通りだと思いました。しかし今は少し違うかもしれません。

　初雷は、春一番と同じく立春（2月4日頃）後、初めて鳴る雷の事。あまり聞きなれない言葉です。我が国では雷の種類はその時々に合った呼び名があり、それぞれ俳句や短歌、文化的作品の題材にもなっています。

　一年を通して雷が発生するのは、ノルウエーと日本だけのようです。その事は、俳句の季語からも伺えます。

　春の雷の季語は、「春雷」「初雷」「虫出しの雷」、夏の季語は、「雷雨」「雷鳴」「いかづち」「遠雷」、秋の雷の季語は、「稲妻（いなづま）」や「稲光（いなびかり）」、冬の雷の季語としては、「寒雷」や「ぶり起こし」等々。

　私の育った埼玉県本庄市は、夏の雷が多く、茨城県、栃木県、群馬県を含めて「雷の銀座通り」と言われています。また「空っ風・雷・かかあ天下」は上州名物！　という言葉もあります。

　本庄市は埼玉県ですが、近くの利根川を渡ると群馬で、冬になると赤城おろしの空っ風が吹き荒れ、子供達のほっぺは皆りんごのほっぺでした。「かかあ天下」は、男性が尻に敷かれるという意味で使われることが多く、私もそのひとりと思われていたかもしれません。しかし2014年（平成26年）6月に富岡製糸場が世界遺産に登録されると、明治時代に栄えた絹産業が女性に依存する部分が

絵本「まゆのまち」吉田久枝作　より

多かったことに由来する言葉で、男性が絹産業を支える自分の妻に感謝し、「ウチの妻は天下一」と自慢することから生まれた言葉を証明する事になりました。そのような環境でしたので、私の子供時代は繭の匂いの中で育ちました。ご近所のあちこちから機織りの音が聞こえてきて、心地よいリズムはのどかで平和でした。街を歩く女性は皆カラフルな銘仙の着物を着ていました。特に赤ちゃん用のねんねこ袢纏は、大柄でカラフルな花柄でよそから来る人たちがその美しい姿にびっくりするほどでした。

郷の山　赤城山

　すぐご近所では道に金棒を二本立てて、友達のお父さんが十二メートルの絹糸を金棒に両はしを縛り付け、何色かのカラーバケツから平たい木べら二本に色をつけて両手でゴシゴシと着色をしていました。そのお隣は甘納豆やさんとおせんべい屋さん、そして竹を細く割いて手で編んで行くかごやさん。みんな最初から手作りの素晴らしい職人さんたちでした。出入りは自由で、犬も猫も子供も歩けばどこかでぶつかる。古き良き時代でした。

# 第十三候 （清明初候）「玄鳥至」 ［つばめ きたる］

4月4日〜8日頃

　七十二候が清明の初候になり、南の島で寒い冬を過ごした夏鳥のツバメが帰ってくる頃となりました。

　春の訪れと共に南から渡り鳥のつばめが帰って来ます。またこの頃、渡り鳥の雁は北の国へ帰って行きます。（次候「鴻雁北」）

　古人は渡り鳥は果てしない海の向こうの「常世の国」からやってきて、また帰って行く。この光景を死者が行ったり来たりする情景と重ね合わせていました。万葉集人もツバメと雁は行ったり来たりのセットの鳥と考えていたようです。そんな情景を歌に詠んでいます。

　　つばめ来る時になりぬと雁がねは　本郷思ひつつ雲隠り鳴く
　　　　　　　　　　　　　　　　　　　大伴家持

　つばめは雁と入れ替わりに、常世（あの世のこと）からやってくると信じられていたそう

です。「雲隠る」ということは、亡くなってあの世に行くということをイメージさせる言葉です。（楽しい万葉集より）

子供の頃から「つばめが巣を作ると、その家に幸せが訪れる」という言い伝えを聞いて育ちました。玄とは黒色を意味する言葉で黒い鳥「玄鳥」とはつばめの異名です。冬を暖かい東南アジアで過ごしたつばめたちは、繁殖の為、春になるとはるばる海を渡って日本にやってきます。日本は農耕民族なので、農作物を荒らす害虫を食べてくれるつばめは大切に扱われました。「春告げ鳥」とも言われるつばめが飛来してくると本格的な農耕シーズンの始まりです。

芙蓉と燕

現在は日本家屋が少なくなったので、つばめの姿はあまり見なくなったのですが、最近最寄駅のホームにつばめが巣づくりをして、雛が口を大きく開けてピイピイ泣いている姿を見ます。駅のあちこちに「つばめのフンにご注意ください」と表示が出されていて、皆上を見ながら歩いてのどかな光景です。つばめは夫婦で子育てをするため、子沢山の子育て上手、安産、縁結び、夫婦円満をもたらすとして、また、つばめの移動は3千キロにも及び太陽の位置を目印に正確に移動する渡り鳥ということから、安全な旅路を願う幸運の柄として着物やお土産品などの図柄、名称に使われています。

つばめは、人は天敵（カラス）から守ってくれるので、人の出入りの多い所（繁盛している場所）、清潔で安全な所は、病人が出ない、火事が出ないという事を予知できる運気を高める良鳥という事なのです。

# 第十四候（清明中候）「鴻雁北」［こうがん かえる］

4月9日〜13日頃

七十二候が清明の次候になり、春告げ鳥のつばめと入れ替わりに、冬を日本で過ごした雁（かり）が北国へ帰って行く（オホーツク海を越え、カムチャツカ半島を経由してシベリア各地の繁殖地へと戻っていく北帰行）頃となりました。

古の頃から日本人は雁の行き来に趣を感じ、和歌（万葉集には雁を詠んだ歌が80もあるようです）、短歌、俳句、文学、音楽、屏風絵など絵画の題材、がんもどき、落雁、雁ケ音茶等、

食品名にも数多く取り上げられ、家紋（真田、柴田、小串）のモチーフにもなるほど大勢の人に好まれてきました。

　雁は、縄文時代から食用とされ、奈良・平安朝以来、高級食材として天皇家や貴族ら特権階級に愛されてきたようです。

　雁の肉はごちそうとされてきました。江戸幕府は一時期、野鳥の食用を禁止したこともあったが、雁の肉はごちそうと

鎮守さまのお祭り　吉田久枝画　97歳

されてきました。1971年、狩猟鳥から除外され天然記念物指定による法的保護により捕獲ができなくなりました。それ以降おでんに欠かせない「がんもどき」は精進料理で肉の代用品としてつくられました。

　森鴎外の小説「雁」は、東京の上野・本郷界隈が舞台。主人公が不忍池で、たまたま投げた石が雁に当たって殺してしまう。東大医学生の主人公と、貧しい親を助けるために高利貸しの妾になった、美しい女性とのはかない恋の物語。

　世界に目を向けるとスウェーデンの女性作家セルマ・ラーゲルレーヴが執筆した児童文学で有名な『ニルスのふしぎな旅』があります。いつも家畜をいじめてばかりだった少年ニルスが、雁との触れ合いを通してスウェーデンの自然の中で、勤勉な少年に成長していく素晴らしい物語です。

　私が子供時代を過ごした田舎では、春と秋に鎮守さまのお祭りがありました。テレビも何もない時代でしたので年に数回の村祭りは庶民が楽しみにしている唯一の娯楽でした。わた菓子、飴細工、バナナの叩き売り、焼きまんじゅう、どんどん焼き、お囃子や、チンドン屋、等々。祭りに遊び疲れて山道を帰ってくると、広い田んぼの上空に雁の群れが泣きながら飛んでいく姿をよく見ました。母の背中におんぶしていた頃から母が歌ってくれた雁の歌は、この時の光景が今でも目に焼き付いている懐かしい思い出です。ずっと後になってこの歌が、「里ごころ」（作詞：北原白秋／作曲：中山晋平）の歌とわかりました。YouTube『大正の童謡を歌う緑咲香澄』でその素晴らしい歌を聞くことができます。

　現在、この山は早稲田大学高等学院本庄高校になっております。そのすぐ近くに今でも当時の鎮守さまが静かに佇んでおります。昔は広くて大きくて人が賑わった私の記憶にある鎮守さまです。私

絵本『おもいでのうた』より　よしだひさえ画

の体が大きくなったからなのか？ 当時の面影は、雁の群れと同じ位、さみしい光景になってしまいました。それでも春と秋の大祭の時はきっと今でも賑わっている事でしょう。孫を連れて行ってみたいものです。

# 第十五候 （清明末候） 「虹始見」 ［にじ はじめてあらわる］

4月14日19日頃

　七十二候が清明の末候になり、ひと雨ごとに暖かくなるこの頃になると冬には見かけなかった虹が現われ始めます。

　その年初めて立つ虹を「初虹」と言います。春雨がやんで、雲間のやわらかな光の中に、突然浮かび上がる春の虹は、色も淡くてすぐに消えてしまいます。

　「虹」といえば夏の季語ですが、「初虹」は春の季語になっています。

　中学の頃、理科の時間に虹の色の覚え方を「せき・とう・おう・りょく・せい・らん・し」と学びました。

　リズミカルで美しい虹は「せき（赤）・とう（橙）・おう（黄）・りょく（緑）・せい（青）・らん（藍）・し（紫）」なのだとすぐに覚えました。蛙の解剖で嫌いになった理科が、また好きになりました。

　観蔵院曼荼羅美術館所蔵の両部曼荼羅は、染川英輔画伯畢生の作で、1300年継承されている伝統絵画の技法で描かれています。起源は古く唐代の中国大陸と言われ、その技法は現代まで脈々と継承されています。その描き方の一つに「繧繝彩色」という日常と全く異なる天上界極楽浄土の世界を色で表したと思われる描き方があります。平等院鳳凰堂の内陣の装飾が有名ですが、現在でも仏教寺院の建築の装飾や、仏教美術に数多く使われています。繧繝彩色は色の濃淡を順に組み合わせて立体感や彩色の華やかさを表現する彩色技法です。

繧繝彩色　染川英輔画　如意輪観音部分
（観蔵院曼荼羅美術館蔵）

繧繝彩色　染川英輔画　如意輪観音部分
（観蔵院曼荼羅美術館蔵）

　40年続いている観蔵院の仏画教室では、多くの仏画が画伯の厳しいご指導の下、数多く製作されました。今でも大勢の生徒さんが熱心に仏様を描いています。その仏画のほとんどに繧繝彩色の技法が使われています。私は虹を見ると繧繝彩色を、繧繝彩色を見ると虹を思い浮かべます。ただし繧繝彩色の色は、虹の「せき（赤）・とう（橙）・おう（黄）・りょく（緑）・せい（青）・らん（藍）・し（紫）」とは一致しません。

　繧繝彩色は、赤系、青系、緑系、紫系、丹色の5色を「紺丹緑紫」と呼び、それらの色を3〜6段階の濃淡に分けて帯状に塗り、ぼかしを使わず立体感を出す手法です。

　　　　　野の虹と春田の虹と空に合ふ　　　　　水原秋櫻子

まさしく春の野に咲き乱れる花野と、空にかかる虹を詠んだ美しい春の句です。
他にも

　　　　　初虹もわかば盛りやしなの山　　　　　一茶

　　　　　青苔や膝の上まで春の虹　　　　　　　一茶

　　　　　初虹や岳陽楼に登る人　　　　　　　　尾崎紅葉

　残念ながら『万葉集』には虹を詠んだ和歌は、一つのみです。
　春は出逢いと別れの季節ですが、自然現象も森羅万象の出来事は、出会えたかと思うとすぐに去ってしまいます。春の陽の光はまだ弱いので、その分、夏の虹に比べると淡くはかない趣のある虹です。晩秋には、また陽の光が弱まって虹を見かけなくなるということで、「虹蔵不見」という候があります。
　虹は自然現象で出現すれば誰でもどこでも平等に見る事ができます。しかもお金がかかりません。戦中生まれの私が育った環境は皆貧しく食糧難の時代でしたが、赤城山、榛名山、秩父連山、男体山、筑波山など三方向を山で囲まれた美しい町です。裸足で野山を駆け巡り、小川でどじょうや鮒やザリガニをとって、日が沈むまで遊びました。自然豊かなあの光景は何事にも変えがたい宝物だったのだと今になって思い知らされています。

# 第十六候（穀雨初候）「葭始生」［あし はじめてしょうず］

七十二候が穀雨の初候になりました。

春の日差しを浴びて、野山や、水辺の葭が芽を吹きはじめる頃となりました。葭は、「葦/蘆」とも書き、「アシ」とも「ヨシ」とも読みます。アシは「悪し」ともつながるので、「善し」と読まれるようにもなりました。これは、日本独自の忌み言葉で、縁起が悪いという事で使用を避ける語のようです。

日本に現存する最古の書物『古事記』（712年）に、「この豊葦原の千秋の長五百秋の瑞穂の国（とよあしはらのみずほのくに）」と、記載があるように昔から日本人と葦は、深い結びつきがありました。

盧舌と材料（葦）提供小峰智行

葦の茎は、竹と同じように中が空洞なので、軽くて丈夫です。葦簀や葦笛、茅葺き民家の屋根材、燃料、肥料などとして、古くから様々な形で利用され、人々の暮らしに欠かせない重要な植物でした。

「人間は考える葦である」と言ったのは、17世紀のフランスの思想家パスカルで、代表作『パンセ』の中で、「人間はひとくきの葦にすぎない。自然のなかで最も弱いものである。だが、それは考える葦である。彼をおしつぶすために、宇宙全体が武装するには及ばない。蒸気や一適の水でも彼を殺すのに十分である。だが、たとい宇宙が彼をおしつぶしても、人間は彼を殺すよりも尊いだろう。なぜなら、彼は自分が死ぬことと、宇宙の自分に対する優勢とを知っているからである。宇宙は何も知らない。だから、われわれの尊厳のすべては、考えることのなかにある。われわれはそこから立ち上がらなければならないのであって、われわれが満たすことのできない空間や時間からではない。だから、よく考えることを努めよう。ここに道徳の原理がある。」この言葉は聖書の「傷ついた葦」（「イザヤ書」「マタイ伝福音書」）に由来しています。

葦は昔から多くの詩歌にも詠まれてきました。『万葉集』には51首。俳句には575句です。

　4400　家思ふと寐を寝ず居れば鶴が鳴く　葦辺も見えず春の霞に
　　　　（いへおもふと　いをねずをれば　たづがなく　あしへもみえず　はるのかすみに）
　　　　　　　　　　　　詠み人知らず
　　訳：故郷を思って寝るに寝られずにいると、鶴が鳴いている葦辺も見えない。春の霞がた

ちこめていて。

6-919　和歌の浦に潮満ち来れば潟を無み　葦辺をさして鶴鳴き渡る
（わかのうらにしほみちくればかたをなみ　あしへをさしてたづなきわたる）

山部赤人

訳：和歌の浦に潮が満ちてくると潟がなくなり　葦のほとりをめざして鶴が鳴きわたるよ。

　葦の季語は青々と茂っている葦なら夏、葉が枯れて水面に浮いていたり茎だけが残っている葦なら冬、葦刈るも冬です。

　　銀色の白雨に河原葦の霧　　　　　　　北原白秋

　　蘆の葉と共になびくや行々子（鳥のヨシキリの別名。ギョギョシ）

正岡子規

　また春先のアシの新芽は、食用にもなっていました。根茎は「蘆根（ロコン）」という名の生薬として、利尿、消炎、止瀉などに煎じて用いられています。

　葦は北半球の気候温暖な地方の湿地や川辺、湖沼の岸などに野生するイネ科の大型多年草で、繁殖力の旺盛な植物です。不用意に移植すればあっという間に周囲の在来種を駆逐してしまうので、世界の外来侵入種ワースト100にも入っています。しかし大群落の四季の景観は雄大な葦の穂の変化を楽しむ事が出来ます。

　多くのリード楽器の祖先は古代の葦笛です。

　ギリシャ神話に出てくるパンフルートは数千年前にギリシャで演奏されていました。葦はこの頃からリードも管体も葦でできていました。日本の正倉院の御物の中にもあります。これは、シルクロードを通って伝わったものと思われます。モーツアルトのオペラ「魔笛」で鳥刺パパゲーノが吹いているのはパンフルートです。オーケストラで演奏する場合、パンフルートはフルートが演奏をしています。

　雅楽用の楽器の「笙」、「篳篥（ひちりき）」のリードは葦を使っています。

　実は息子も篳篥を演奏します。その時使うリードは大阪高槻市の淀川の決まった場所で生育した葦でないと良い音色が出ないと言って、その葦を大量（使えるのは数本とか？）に手に入れ、自分で加工しています。天然の葦を使うため、その質は一枚一枚微妙に異なり、その選別と調整に日々苦心しています。

　洋楽でもクラリネット、オーボエ、ファゴットを始めとする木管楽器のリードは天然の葦の茎を加工して作られています。

　リードの善し悪し（ヨシ葦？）が楽器本体より重要だと考えている奏者は少なくありません。「高級楽器＋調子の悪いリード」と「安物楽器＋調子の良いリード」ならば、多くの

奏者が迷わず後者を選ぶでしょう。息子の姿を見ていてもそれは良く分かります。

# 第十七候（穀雨中候）「霜止出苗」[しも やみて なえいずる]

4月25日〜29日頃

　七十二候が穀雨の次候になりました。暖かくなるにつれ、霜もおりなくなり、苗がすくすく育つ頃になりました。しかし暖かさに霜の心配を忘れかけた頃、思わぬ遅霜に見舞われる事もあります。「八十八夜の忘れ霜」という諺はそんな情景を言った言葉です。

　霜で思いだしました。30数年前に倉敷へ越してしまいましたが、私の親友のご主人は、私が訪ねて行くと、良くギターを弾きながらさだまさしの歌を歌って聞かせてくれました。とても良い声で、情感溢れるその弾き語りに涙する事も……。特に『まほろば』という曲は「黒髪に霜の降るまで」のところが『万葉集』巻二にある「君をば待たむ　ぬばたまの我が黒髪に　霜は降るとも」がモチーフになっています。また『防人の詩』での「海は死にますか　山は死にますか」。これも『万葉集』巻十六「鯨魚取り　海や死にする　山や死にする　死ぬれこそ　海は潮干て　山は枯れすれ」がモチーフになっています。

　これまで度々『万葉集』を取り挙げてきましたが、私の母が『万葉集』の系統を継ぐアララギの歌人であったので、物心ついた頃からその素晴らしさを聞かされてきたからです。天皇から貴族、農民、漁村で働く人々までみな歌を詠んでいて、それが一つにまとまっているのです。何よりも「歌」が上流階級の教養ではなくて、上つ方から下々の者までが歌を詠んでいる。それが一つに詰まっているのが『万葉集』です。万葉とは、「万の言の葉〔よろずのことのは〕」。あの時代にこれだけの人々が風土を、民俗を、貧しさを、恋愛を、また国を守るために駆り出された防人までが、故郷の家族に思いを込めて、その数4,500種もの歌が作者を問わず収録していること。作者不詳の作品も数多くあります。和歌の前では身分を問わないその大きなエネルギーに感動します。

　661年正月6日のことです。長年親交があった百済が唐、新羅の連合軍に首都を占

EU5周年記念ヨーロッパ公演
真言法響会（文化庁・外務省）撮影・小峰和子

領され我国に援軍を求めてきました。大和朝廷はその要請に応じ、68歳の斉明女帝を総帥とする士官、兵士、水主を含む乗員総数27000人といわれる空前の規模の軍隊とそれを運ぶ400隻の船を難波津から出航させます。まさに国を挙げての戦い。

中大兄皇子をはじめ実弟大海人皇子、さらに後宮の女性も引き連れての旅は、さながら朝廷が移動した感があります。

筑紫に向かう途中の1月14日、一行は伊予の熟田津（現在の道後温泉あたり）に到着し、約2カ月余り滞在しました。老齢の女帝の疲れを癒し、大海人皇子の妃、大田皇女が船上で大伯皇女を出産したことによる療養、さらに不足していた兵士、水主を募集し船団を整えるなどに時間を費やしたようです。温泉でゆっくり英気を養っている間に万端の準備が整い、いよいよ出軍。全軍勢揃いの中、額田王が天皇の意を汲んで詠います。

1-8　額田王（ぬかたのおおきみ）
熟田津（にきたつ）　船乗りせむと　月待てば
潮もかなひぬ　今は漕ぎ出でな
（熟田津から船出をしようと月の出を待っていると、待ち望んでいた通り　月も出、潮の流れも丁度良い具合になった。さぁ、今こそ漕ぎ出そうぞ）

月光のもと、波風に黒髪を靡かせながら朗々と詠いあげる額田王。威厳と力強さ、そして気品あふれる万葉屈指の名歌です。数々の賛辞が呈されていますが、直木孝次郎氏の、簡易にして的確な評を。

港の奥深く、帆に風をはらませて粛然と控えている多くの軍船。「熟田津に船乗りせむと」と情景の描写にはじまり、「月待てば」と星のきらめく空を仰ぐ。そこで一転して「潮もかなひぬ」と視線を足元の海に移し、最後は斉明をはじめ乗り組みの人々に向かって「いまは漕ぎいでな」と詠いおさめる。起、承、転、結の骨法にかなった見事な構成である。空から海への転換がすばらしく、歌の格と幅を大きくしている。

〔『額田王』吉川弘文館〕

# 第十八候（穀雨末候）「牡丹華」〔ぼたん はなさく〕

4月30日〜5月4日頃

七十二候が穀雨の末候になり、牡丹の花が咲き始める頃となりました。牡丹はボタン科

観蔵院曼荼羅美術館本館

観蔵院薬師堂天井絵　久万可祢画

の落葉低木で、晩春から初夏にかけて紅・紅紫・黒紫・桃・白色などの大輪を咲かせます。中国が原産の帰化植物で、中国では「富貴草」「百花王」「花王」「花神」「天香国色」などと呼ばれ、一時、中国の国花として定められた代表花になっております。日本へは薬草（根皮が頭痛、関節炎、リウマチ、婦人病）として弘法大師空海が持ち帰ったという説があります。

「立てば芍薬　座れば牡丹　歩く姿は百合の花」と、美しい女性の容姿や立ち居振る舞いを花にたとえて形容する言葉です。中学時代、男子が良く口にしていた言葉で、いつも一緒にいた親友の美人さんへの言葉です。実はその言葉が本来は漢方の生薬の使い方を示した言葉であるという事を最近知りました。

「立てば芍薬」の「立てば」は、イライラと気の立っている状態を、「座れば牡丹」は、座ってばかりいる女性は血液の巡りが悪くなり滞り（お血）が起こる、「歩く姿は百合の花」は、精神衰弱が見られる人のナヨナヨと頼りない歩く様を示しているという事で、それにはそれぞれ、鎮痛・鎮痙作用のある芍薬の入った精神の安定をはかる方剤、血流を改善する牡丹の入った方剤、そして精神の安定をはかる百合が入った方剤を使うべし、という事です。中国ではなんと西暦200年から薬草として栽培されていました。

当初は寺院で薬用として栽培していたようですが、絢爛たる豪奢な美しさに、貴族の間に徐々に広まり観賞用として広まりました。平安時代の枕草子や蜻蛉日記には、「ほうたん」の名前で登場しています。

観蔵院境内にもこの時期になると牡丹の花が咲きます。一輪だけでも目をひく程の美しさです。中国ではなんと西暦200年から薬草として栽培されていたようです。その後現在に至るまで、「花の王様」「花王（ファワン）」の名で歴代の皇帝や国民から愛され続けてきました。世界三大美人の1人と言われる楊貴妃を「雲を見ては（楊貴妃）の衣装を想い、牡丹を見ては君の容姿を想う。」と、詩仙と呼ばれた李白が、宮中の酒宴の席で本人の目前で即興でその美しさを牡丹の花に例えています。

牡丹は、『本草和名』によれば古代日本には入っていた（伝空海）ようですが、残念ながら、万葉集には詠まれていません。華やかな牡丹は万葉人の心を掴まなかったのでしょうか。平安時代に和歌に詠まれた「深見草」が、牡丹のようです。

夏木立庭の野すぢの石のうへに　みちて色こき深見草かな

『拾玉集』　夏　　慈円

くれなゐの光をはなつから草の　牡丹の花は花のおほきみ

『竹乃里歌』正岡子規

くれなゐの牡丹おちたる玉盤の　ひびきに覚めぬ胡蝶と皇后

『舞姫』与謝野晶子

近よりてわれは目守らむ白玉の　牡丹の花のその自在心

『白き山』斎藤茂吉

夏

# 第十九候（立夏初候）「蛙始鳴」〔かわずはじめてなく〕

　七十二候が立夏の初候になり、冬眠から覚めた蛙が野原や田んぼで鳴き始める頃となりました。かわずは蛙の別名で、観蔵院境内の小さな2つの池にも毎年この時期になるとどこからともなくやってきてゲコゲコと季節の移り変わりを教えてくれます。戦中生まれの私は戦後の食糧難の頃、周りの年上の子供達がコンロに火を起こして蛙を焼いて食べているのを遠くから見たことがあります。怖くて近寄れなかったのですが、においだけは今でも記憶の中にあります。焼き鳥屋さんの前を通るとちょっと似ているそのにおいの記憶が

鳥獣戯画　染川英輔復元模写

戻ります。それから数十年後、NGO活動で立ち寄ったタイのホテルでのバイキングの夕食で、何も考えずに食べた細いウイング状の唐揚げが、蛙であったと分かりました。知らないって恐ろしい…ですが、美味しかったです。蛙は、世界の十数ヶ国で昔から食料になっているようです。

　日本最古の漫画といわれる国宝（昭和27年指定）『鳥獣戯画』に登場する蛙は相撲を取っていたり、追いかけっこをしたり、可愛くて滑稽な姿で描かれています。その他多くの昔話にも登場します。一番身近で蛙を見るのは神社仏閣の御朱印受付のそばにあるご利益コーナー。強い運を高めたい人、悪い事を回避したい方、開運厄除けを願う人と様々ですが、蛙のお守りは三かえるお守り、さらにびっくり六かえるお守り。

　① 幸福かえる（幸せ祈願）②園福かえる（家内円満祈願）③金運かえる（金運招福祈願）④寿福かえる（健康長寿祈願）⑤開福かえる（開運厄除祈願）⑥安福かえる（交通安全祈願）。ちょっと、いや相当欲張り…

　「開運」や「幸福」を祈願したりする事、は心の安寧を得ることの出来る素晴らしいことです。私も八百万（やおよろず）の神様、仏様に日々おすがりして心の安寧を得ております。しかし忘れてはいけない事は、開運や幸福は、自分が持っているおのれ自身の価値を最大限に生かし、努力を止める事なく懸命に磨いて得られる成果なのだという事です。

　観蔵院曼荼羅美術館の収蔵品の一つに染川英輔画伯が

鳥獣戯画スケッチ集　各種

お描きになった『鳥獣戯画』のスケッチ集（18枚）があります。この作品は2019年8月からリンケージワークスで出版された『鳥獣戯画』シリーズ『鳥獣戯画　筆ペンなぞり描き　其の壱』・『鳥獣戯画　筆ペンなぞり描き　其の弐』・『鳥獣戯画 GIGA message CARD』・『鳥獣戯画　豆本をつくろう』の三種類4冊のオリジナル原画です。

## 第二十候（立夏中候）「蚯蚓出」［みみずいずる］

5月10日〜14日頃

　七十二候が立夏の次候になり、地中から冬眠していたミミズが現れ始める頃となりました。
ミミズの語源はミミズには目がないので「目みえず」が転じてそう呼ばれるようになったようです。

　60年前、大学の女子寮にいた時のこと、新潟出身の後輩が風邪をひいて熱を出した時、彼女は雪国新潟の実家から持って来ていた解熱剤を急須に入れて飲んでいました。台所の急須を片付けようと蓋を開けてびっくり。中にはミミズが数匹…思わずうわっ!! と。ミミズは熱冷ましの漢方薬なんだとその時初めて知りました。それにしても乾燥したミミズが熱湯で元の姿に戻っているのって…ね？

　『ミミズ大学』によると「古代社会においては薬効をもつ、植物・動物・菌類など生薬が大きな役割を持っていて、その用法も時代とともに研究されてきました。2世紀初頭の医学書にはミミズはすでにその薬効が記されていて、漢方薬としては発熱や気管支喘息の薬として用いられていました。「地龍」は、11世紀の文献「図経本草」には登場しています。その薬効としては①鎮痛・鎮痙作用②利尿作用③解熱作用④糖尿病の改善⑤中風の改善⑥脳出血改善⑦血圧降下作用⑧狭心症・心筋梗塞の改善⑨血行促進作用⑩消炎作用⑪殺菌作用⑫中風の改善が挙げられています。私たちを苦しめている悪しき生活習慣がもたらす現代病や内科疾患全てに効く万能薬のように対応していることがわかります。」と、良い事づくめのミミズさんです。それにしても習慣ってすごい!! 私の子供の頃の熱冷ましは長ネギ（深谷ねぎの産地です）を細かく刻んでお味噌で練り、そこに熱湯を入れて飲み、体を温めてぐっすり眠ります。目が覚めると汗を大量にかいて、いつの間にか熱は下がっていました。冷凍庫にアイスノンのない時代の話です。

季節の和菓子「木ノ芽」

日本ではミミズを「自然の鍬」と言っています。ミミズの糞が肥沃な土地に必要な小さな微生物たちを育ててくれているからのようです。英語では「earth worm ＝ 地球の虫」。古代ギリシャの哲学者アリストテレスは、ミミズを「大地の腸」と言い表しました。またレオナルド・ダ・ヴィンチも500年前に言った「我々は足元にある土壌よりも、天体の動きについての方が分かっている」という言葉を残しています。深く掘り下げて行くとミミズと関係があるのでは？

40年前この土地にきた時、地面がデコボコしていました。ある時犬小屋の中で飼っていた犬が騒ぐので言ってみると、モグラが現れたらしく土があちこち膨らんでいました。境内のデコボコはモグラの仕業だったのです。モグラの食料は1日に自分の体重と同じくらいのミミズや地中の虫を食べるそうで、畑の多い南田中は、開発の波が押し寄せてマンションや高級住宅、畑の肥料の進化などでミミズがいなくなってしまったためモグラも自然消滅してしまいました。同時に光化学スモックや地球温暖化が加速して、異常気象、ウイルス繁殖など、世界規模でその対策に頭を抱えています。もし、ミミズが住めるような環境が戻ってきたら、地球温暖化の加速も少しは止まるかもしれません。

この候ではモグラの写真がないので、季節の和菓子をご紹介致します。

# 第二十一候（立夏末候）「竹笋生」〔たけのこ しょうず〕

七十二候が立夏の末候になり、春の味覚の竹の子がひょっこりと土の中から顔を出す頃となりました。竹笋（zhú sǔn）は中国語でたけのこの事で、日本語は、筍とも書きます。筍は地上に顔を出すとあっという間に伸びて竹になってしまいます。そうなると食用にはなりません。上旬、中旬、下旬の漢字はまさにこの筍を意味している言葉で、「この何々は、今が旬です」とよく言われている旬は、この字が筍の食べ頃を意味しているとの事です。

竹の歴史は古く縄文晩期（前1000〜前300）の古墳（亀ヶ岡遺跡：つがる市）からも竹製品が出土されていて、日本最古の書物『古事記』（奈良時代初期）や日本最古（平安時代）の物語と言われている『竹取物語』（かぐや姫）、日本最古の歌集（奈良時代）『万葉集』に登場して、古代から身近なものだったと思われます。日本で食用となっている筍は、中国原産の孟宗竹で、沖縄から北海道を除く全国に広まったようです。

そういえば、お寿司屋さん、懐石料理屋さんなど、メニューを見ると、松竹梅になっています。半分以上の人が竹を選ぶようです。お店の人もそれが分かっていて一番売りたい物を竹にして、それを基準に松と梅を割り当てるとの事、それは心理学者の分析からなの

だそうです。観蔵院の前住職（現在は長老）が大正大学教授だった頃、ミュンヘン大学との交換留学生をテンプルステイとして毎年1人引き受けていました。26年間、26人のミュンヘン大学の学生が私を「お母さん」と呼んでくれて、楽しい貴重な体験をしました。学生はいろいろな目的を持ってきていて、勉強以外にラーメン、アニメ、温泉、秋葉原…その中に子どもの時、誕生日祝いに食べたお寿司の味が忘れられなくて、お寿司の国日本へ来たという学生がいました。そのアレックスは現在ミュンヘンで大きなお寿

竹藪

司屋さんのオーナーです。「お母さん、僕のお店に来て」と言うので2020年10月、美術館の仕事でウィーン世界民族博物館へ行った帰りに寄ってみると、何と寿司盛りの名前が、大日、薬師、普賢、千手、不動…と、全部仏様の名前でした。思わず「アレックスやったね！」と。それで大日が日本の松かと思ったら、そうではなく名前はお寿司の種類のようでした。ドイツには食べ物のランク付けはないのでしょうか？　松竹梅はもともと古くから　中国の文人たちが好んだ「歳寒三友」から来たようです。

　40年前、この地に越して来た時、裏庭は竹やぶでした。春になるとタケノコ掘りを家族で楽しみました。採りたての竹の子を色々調理すると、昭和20年生まれの我が背は、戦後の食糧難の時代を兄弟姉妹、使用人と大家族で育ったので、竹の子の時期になると裏山の竹やぶで採れた竹の子を母親が味噌汁、煮物、天ぷら、竹の子ご飯、木の芽和え、炒め物と毎日毎日食べさせられたそうで、竹の子料理はもう良いや…と手を出しませんでした。それで、その頃はなかったでしょう中華料理や、厚揚げ、鳥肉入り煮物などを作った所、そのトラウマは払拭されたようです。

　同じく戦中派生まれの私のたけのこの記憶は、ちょっと違います。たけのこの皮を調理の時にまず剥きます。その時剥がした少し柔らかめの皮をたわしで擦って竹のかわの産毛を綺麗にします。それを三角に切って種を取った梅干しを入れて包みます。それを手に取り舐めていると、竹皮が紅くなり柔らかくなり、角から香りの良い梅肉が口の中にジュワーと広がって来て、子供ながらに幸せを感じたものです。紅くなった竹皮も酸味がしみてそれを噛んだ時の竹の香りと梅の酸味は幸せの春の味でした。

　残念なことに観蔵院の黒竹は昨年突然花が咲き、全部枯れてしましました。竹は60年（80年と言う人も）に一度花を咲かせ、そのあとは枯れると昔から聞いていました。本当に全部枯れてしまいました。今年は他でも竹に花が咲いたというニュースが……明日も良い日でありますように……祈ります。

アレックス　ミュンヘンのお店
撮影・小峰和子

# 第二十二候（小満初候）「蚕起食桑」［かいこ おきて くわをはむ］

　七十二候が小満の初候になり、蚕の卵が孵化して盛んに桑の葉を食べ始める頃となりました。

　蚕の一生はとても短く、卵から幼虫、さなぎ、成虫へとおよそ2か月ほどです。さなぎは、孵化するとすぐに勢いよく桑の葉を食べ始めます。さなぎは桑の葉しか食べないので、農家の人は桑の葉を摘むのが忙しくなります。この時期を「木の葉採り月」と言われています。その約ひと月後、白い糸を体の周りに吐き出しながら繭になります。この繭から美しい生糸（絹糸）が紡がれます。

　私が育った実家の隣は数千坪の製糸工場でした。白く光った美しい繭が大量に運ばれて来て、そこで生糸が作られていました。そこでは大勢の女工さんたちが働いていました。東北の方からお金と引き換えに連れてこられた若い女性達で、戦後間もない食糧難の時でしたので、いつもお腹をすかせていたようで、高い塀に囲まれたその道を通ると、外には出してもらえないその人たちの手だけがいくつも出ていて、何か食べるものを…と、訴えていました。その時はよくわかりませんでしたが、ずっと後になって明治、大正、昭和の初期の紡績工場の女子工員の過酷な労働や虐待を記録した『女工哀史』・『ああ、野麦峠』の世界がそこには残っていたのだと知りました。あたり一面繭を茹でる独特の匂いと共に、私が6歳くらいまでの記憶に残る悲しい出来事です。

　紀元前2世紀、前漢・武帝が西域（中央アジア以西）の調査を始めた時に開拓したのを起源とする、中国と中央アジア、地中海沿岸を結んだ歴史的な東西交易路シルクロード（絹の道）は、中国の特産品だった絹（シルク）が西方に運ばれたことに由来しています。ドイツの地理学者リヒトホーフェンによって命名されたシルクロードは、2014年、国連教育科学文化機関（ユネスコ）の世界文化遺産に登録されました。インドで誕生した仏教は、このシルクロードを通じて陸路により中国、朝鮮半島、日本へと伝わりました。シルクロードの端は奈良とも言われ、日本とも関わりが深く、正倉院にはペルシャなどからもたらされた数多くの宝物が収蔵されています。

　1300年前、弘法大師空海によって唐の国か請来された曼荼羅を復元模写したと考えられる国宝―絵画、両界曼荼羅図（伝真言院曼荼羅）［東寺/京都］は、絹本着色です。したがって観蔵院曼荼羅美術館の両部曼荼羅も一枚の絵絹に再現されています。

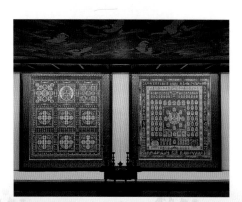

観蔵院曼荼羅美術館本館　両部曼荼羅

　平安時代、弘法大師が唐より請来した曼荼羅

が、日本にもたらされた最初の曼荼羅です。爾来日本において、数多くの両部曼荼羅が密教寺院の根本尊像として描かれてきました。しかしそれらの多くは、弘法大師の請来本より模写を重ねられた曼荼羅でした。曼荼羅は元来、経典の記述に沿って描かれたものです。経典は如来の教説を記したものであり、多くの修行者の宗教体験に基づいて編纂されてきた以上、経典の記述はないがしろにできません。

ブライアンの手仕事　写真提供・ブライアン

染川英輔画伯の描いた観蔵院曼荼羅の制作はまず、『金剛頂経』や『大日経』といった経典・儀軌等に記述されている尊様や配置を、改めて仏教研究者とともに研究することから始まりました。そしてその研究に基づいて、新たに4年がかりで下絵を描き起しました。

さらに観蔵院両部曼荼羅を描いた絵絹は、八尺幅というその稀有な大きさゆえに、織り機の製作をも要しました。一枚ものの絵絹としては、日本最大級の大きさです。

綿密な研究に裏打ちされつつ揺るぎない筆致で描かれた白描図が岩絵具で丹念に彩色され、細部まで精緻な截金を施されて両部の曼荼羅が形を与えられるまで、昭和58年以来、実に18年もの歳月が費やされました。

金剛界・胎蔵の両部曼荼羅は、真言密教の教義内容を図画によって教示しており、表裏一体で相即不離の関係にあります。金剛界曼荼羅は「智の曼荼羅」と称され、『金剛頂経』に基づき、大日如来の金剛不壊なる悟りの智慧の働きを示しています。また、胎蔵曼荼羅は「理の曼荼羅」と称され、『大日経』に基づき、大日如来の悟りが展開している理を示しています。

私の親しい友人で三十数年前日本の文化に憧れてカナダから移住して来た人（ブライアン）がいます。彼は桑畑に囲まれた相模原市藤野の養蚕農家だった古い家を借りて、その家の二階に織機があるのを利用して織物をはじめました。来る日も来る日も研究を重ねて、今では皇室へ天蚕の白生地をを献上するまでになりました。テレビでも取り上げられ、藍染や裂き織りを学びに世界中から来るほどです。草木染めを初めて、蚕を飼い、織物制作に入りました。私が訪ねて行くとB4位の紙にびっしりと蚕の卵がついていて「これが反物一反分の蚕です」と教えてくれました。

# 第二十三候（小満中候）「紅花栄」〔べにばな さかう〕

七十二候が小満の次候になり、紅花の花が咲きほこる頃となりました。

紅花の花は薊（あざみ）に似ていて棘が鋭いので、朝露があたって少しでも柔らかいうちに摘むそうです。茎の末端に咲く花を摘み取ることから「末摘花」（すえつむはな）とも呼ばれ、『万葉集』や『源氏物語』にも登場しています。

> 外のみに　見つつ恋ひなむ紅の　末摘花の色に出でずとも
> 〔作者不詳『万葉集』巻11-1993〕

また、平安時代中期に成立した日本の長編物語『源氏物語』に登場する女性の一人が末摘花です。主人公である光源氏が生涯関り続けた女性の鼻が赤い醜女（しこめ）だったので、「鼻が紅い」こととベニバナの「花が紅い」ことをかけて、「末摘花」とあだ名をつけました。確か65年くらい前、中学一年の時入ったばかりの演劇部で、「末摘花」と言う劇をした記憶があります。

紅花の、原産はアフリカのエチオピアといわれ、地中海やエジプトを経て世界へ広まり、後漢の時代（2−3世紀頃）には中国本土でも栽培されて、日本には5世紀頃に伝わったようです。高さは1m。花期は6−7月で、枝先に多数の花が集まって、一つの花の形を作る頭状花をつけます。花は、はじめ鮮やかな黄色で、オレンジを経て成長するにしたがって徐々に赤色を増します。

薬膳の素材としても知られる紅花は、口紅や染料、漢方薬と珍重されて来ました。紅花（こうか）の名で知られる漢方薬は、血液の流れを改善する活血化瘀作用があるため、瘀血（血行不良）による高血圧や狭心症、動脈硬化、脳梗塞などの心血管系の疾患をはじめ、婦人病、打撲や外傷などにも用いられている天然の植物生薬です。

奈良時代の752年（天平勝宝4年）から途絶えることなく続けられている、東大寺・二月堂のお水取り（修二会・お松明）は、千二百年以上の歴史があります。毎年3月1日から3月14日まで懺悔と幸福を祈る、古都奈良に春を呼ぶ行事で知られています。

この期間中、東大寺二月堂の中須弥壇の四

東大寺お水取り　紙手（こうで）

隅を飾る花は、「のりこぼし（糊こぼし）」と言われている椿の造花です。椿を作る時に糊をこぼしてしまったかのような斑点があるので「糊こぼし」と呼ばれています。この椿は伝香寺の"ちり椿"、白毫寺の"五色椿"と合わせて奈良の三名椿（さんめいちん）と言われています。この椿の真紅の染料は千二百年以上前から伝わる伝統の紅花染めです。

修二会（お水取り）

　紅花染めはそのままの色は優しいピンク色で、温度や染め方、媒染剤の使い方で黄色になったり真紅になったり変化します。真紅に染めるには媒染剤に酸を使います。東大寺糊こぼしは「万葉烏梅染」と言われる染め方で、特殊な媒染剤を使っています。以前NHKの番組で紹介されていたのを見ました。染色家の吉岡幸雄氏が東大寺の椿になる和紙を染めていました。その媒染剤は古くから梅の名所で知られる奈良の月ヶ瀬村で青梅を腐らせて真っ黒になるまで乾燥させて作られる烏梅（うばい）を使うのだと。それが伝統的な真紅の染料作りに欠かせない酸の媒染剤です。今は国の文化財保存技術「烏梅製造」の唯一の保持者と認定されている中西喜祥さんから代々の製法を受け継ぎ、同じく認定を受けられた中西喜久氏宅の1軒のみが製造者だそうです。

　実は、この東大寺の「のりこぼし(糊こぼし)」を私は東大寺から直接いただき所持しております。東大寺・二月堂のお水取りの千二百年以上前から伝わる「紙手（こうで）を揮毫させていただいているご縁からです。「紙手こうで」は「仙花紙せんかし」に描きます。これは状差しのようなもので、二つ折りにして参籠宿所の壁に貼ります。題材は花鳥風月何でもよくて、特に仏画は大変喜ばれています。用紙は一度に10枚送られてくるので、仏画の会の有志の方にもお願いしております。

　この紙は「紙衣かみこ」と同じで、お水取の僧侶たちが式の間着用する伝統的な法衣と同じものです。

　紅花は山形県の県花です。江戸中期以降最上川地方で大量に栽培されるようになりました。品質の良い最上紅花は、徳島県で生産される阿波の藍玉と並んで「江戸時代の二大染料」として知られるようになりました。

# 第二十四候（小満末候）「麦秋至」［むぎのとき いたる］

　七十二候が小満の末候なり、霜月（11月）に蒔かれた麦が小麦色に熟し収穫の頃になりました。

　「麦秋」は、秋ではなく初夏の季語で、「麦踏」（むぎふみ）は早春、「青麦」（あおむぎ）は春、「麦扱」（むぎこき）「麦刈」（むぎかり）「麦打」（むぎうち）は初夏。他に季語ではないが「麦雨」（ばくう）、「麦嵐」（むぎあらし）など、季節のうつろいを感じる言葉があります。

　大麦は人類がはじめて育てた植物と言われるくらい、人類が原人と言われた100万年以上前から野生の麦が食べられていたようです。栽培が始まったのは今から1万年前の新石器時代、イスラエル付近とシリアからトルコ付近と考えられています。これが人類の農業の起源だとされています。

三寳寺地蔵堂　新六道図　レプリカ

　鎌倉時代から室町時代にかけて、麦は米と同じ場所で栽培出来ることから、米と麦の二毛作が広まったようです。当時の日本では米が経済の中心で，年貢は米で納めるのが原則でした。農民は，作った米の大部分を年貢として納めなければならなかったので，自分の食料を確保するために，二毛作で麦などをつくる必要がありました。米作りが終わったあとの水田で栽培されている作物（裏作）には年貢はかからなかったからです。

　「表作の米は年貢のためのもの」「裏作の麦などは百姓の生活を維持するためのもの」とされていたようです。今から六十数年前私は中学生でした。給食センターは全国まだ普及してなくて、全員お弁当を持っての中学生活でした。お昼になると皆持参したお弁当を広げてのランチタイム。しかし教室には全員はいませんでした。お弁当を持って来られない貧しい家の子供が数人いたのです。その子たちは黙って外へ出て行きました。校庭の片隅で時間をつぶしていたのです。その事を思うと今でも心が痛みます。その頃の子供達は食糧難で、私も含めて皆枝のように痩せていました。それでも家に帰ると時々、テーブルの上におやつが置いてありました。兄と姉と私の三人分で、いつも大麦を粉にした香煎（こうせん）（別名はったい粉、麦こがし）でした。蒸した里芋、じゃがいも、さつまいも等、今思うとほんの少しでしたが。こうせんは、大麦を炒って粉にしたもので、時々貴重なお砂糖がほんの少し混ぜてありました。それを口に入れて笑うとこうせんがあたりに飛び散り、それを見てまた兄や姉が笑ってみんなで粉だらけになって、それを見た母も笑いました。

　今はあまり見かけないようですが、七十年前、私が通っていた小学校の玄関前に二宮金

次郎の銅像が建っていました。金次郎は尊徳とも言われる小学唱歌にも歌われて子供の頃はよく歌っていました。

　観蔵院曼荼羅美術館の本館に入るとすぐに大きな屏風が展示してあります。本寺三宝寺地蔵堂の壁画で染川英輔画「新六道曼荼羅」のレプリカです。その両端にアンネフランクと対に二宮金次郎が描いてあります。小学校の銅像と同じ薪を背負って本を読んでいる姿です。

金子ゴールデンビール

　二宮尊徳は、江戸時代に起こった「天保の飢饉」の際、小田原藩でこの飢餓の対策に当たり、米より早く収穫できる大麦や雑穀の栽培を命じ、多くの人々の命を救いました。さらに幕府の命で財政改革の指導や土木工事にも携わり、多くの農村を復興していきました。日本の協同組合運動の先駆けとして、報徳思想を唱え、報徳仕法と呼ばれる農村復興政策を指導した日本の農政家です。この教えは「至誠・勤労・分度・推譲」が根本的理論で、この行いを守る事で、人は物質的にも精神的にも豊かに暮らすことができるという教えです。「至誠」とは誠実な心。人は「勤労」から学び自分を磨く。「分度」は、自分の置かれた状況をわきまえ、慎み節約すること。「推譲」とは、節約して余った物を自分の子孫と他人や社会のために譲ることを言います。飢饉で食べるものもあまりなく、各地で一揆が起っていた時代に、人々が自力で助け合って、暮らしと村を再建させた報徳思想は、"弱いもの同士が助け合って幸せな暮らしと社会を築く"という相互扶助の考え方であり、今日の協同組合の原点となっています。

　大麦が原料の特に夏には欠かせないビールは、練馬の大麦が日本最初の地ビール「金子ゴールデンビール」と言われています。その麦畑が一時観蔵院の斜向かいで栽培されていました。農協のホームページによると「日本初のビール麦！ 苦味をおさえたほんのり甘みのある味で、シャンパンの様なキメの細やかな泡と林檎の様な香りが特徴です。令和6年3月以降販売再開の予定です。（原料の生育状況により販売再開時期が遅れる場合があります）」とのことです。

---

# 第二十五候 （芒種初候） 「螳螂生」 ［かまきり しょうず］

6月5日～9日頃

　七十二候が 芒種の初候になり、秋のうちに産みつけた、麩菓子のようなカマキリの卵

インドのお坊さん

から数百匹の小さな小さなカマキリが、羽化する頃となりました。

　カマキリは全世界で2000種類が存在するそうです。「蟷螂」は平安時代に中国から伝わり、中国語では「蟷螂」をタンランと発音しますが、我が国ではその音にならって、トーローまたはトーロームシなどというようになりました。また、かまきりは、前足を合わせ、神仏でも祈っているかのように、身じろぎもせずじっと獲物が現れるのを待っています。この昆虫ばなれした奇妙なようすを見て、オガミムシ、オガンドーロー・オガミジョーロー（オガンジョーロー）などというようになりました。オガンドーローも・オガミジョーロー（オガンジョーロー）も、「拝み蟷螂」が訛ったものです。他に拝み虫、祈り虫、かまきりじいさん、蠅取り虫、疣むしりなどと呼ばれています。因みに私の子供の頃はカマキリを「かまぎっちょ」と呼んでいました。

　「蟷螂の斧」（無謀にも強者へ立ち向かっていくたとえ）ということわざがあるほど、日本では一般によく知られている存在です。農耕民族日本を思わせるかまきりの歌（作曲　一宮道子）があります。鎌を持って畑仕事をしているイメージです。

　カマキリの英名は「praying mantis」で、お祈りしているカマキリと言われています。このmantisは、ギリシャ語の「mántis（＝預言者）」に由来しています。カマキリは古代ギリシャでは、神の使いの預言者として人々にメッセージを伝える存在と考えられていました。それも「幸福のメッセージ」を伝える幸運のメッセンジャーなのだと。

　カマキリも神の使なのだそうです。日本全国神の使いと言われている生き物は、伊勢のニワトリ、日吉のサル、稲荷のキツネ、春日や鹿島・厳島のシカ、北野のウシ、大神のヘビ、八幡のハトなどが、古来よりよく知られています。

　海外ですと有名なのはインド、ネパールなどのヒンドゥー教圏の牛、イスラム教圏の豚、キリスト教圏の鳩、子羊などが聖なる生き物とされています。

　京都祇園祭の山鉾（山車）に、蟷螂山と言われるカラクリ仕掛けの緑色の「カマキリ」が乗っています。祇園祭におけるカラクリ仕掛けの「カマキリ」の役割は神の遣いといวれています。南北朝時代に足利軍勢との争いで戦死した公卿である四条隆資の戦いが「蟷螂の斧」を思わせるような見事なものであったことから、四条家の御所車に生きているように動くカラクリ仕掛けの「カマキリ」を乗せるようになったそうです。蟷螂山は、「蟷螂の斧を以て隆車の隧を禦がんと欲す」という中国の故事に由来をもつそうです。

　今はワシントン条約で禁止されているので見なくなりましたが、子供の頃、蛇を見るとお金が入ると言って、蛇とお金を結びつけてヘビ皮のお財布やバックを持っている人を見ました。

カマキリの卵も、見かけた人は、あなたに良き未来が訪れることになる可能性が高い、幸運が訪れる兆し、…と言われています。この光景は、観蔵院の境内でもしばしば見られる光景で、昔からカマキリを見ると良い事がある、と言われているので、一度に沢山のカマキリを見て、さぞかし良い事が起きるかとウキウキしたものです。しかし逆にかまきりの死骸を見ると悪い事が起こると……困ったものです。

でも、それを回避する方法がありました。それはその死骸を見た時に、心の中で供養をするのだそうです。

なるほど、そう言われてみると今でも霊柩車に会った時は、心の中で亡くなった人のご冥福を祈っていました。子供の頃、父が言った言葉があります。「他人の幸福を願うとその人は七倍幸せになる」・「嫉妬、妬みは幸福にさようなら」と……関係ないかな？

# 第二十六候（芒種中候）「腐草為蛍」［くされたるくさ ほたるとなる］

6月10日～15日頃

七十二候が 芒種の次候になり、静かな水辺に蛍が舞い、明りを灯しながら飛び交う頃となりました。

昔の人は腐った草から虫の幼虫が出てくるのを見て、それが変身して光を放つ「ほたる」になり、夏の夜に光を放つ。清らかなものは、いつでも汚れたものから生まれ、明るいものは、いつでも暗いものから生まれると考えていたようです。

蛍は、カブトムシやクワガタと同じ仲間で、主に熱帯から温帯の多雨地域に分布し、2022年1月の調査段階では世界中に約2830種類、そのうちの54種類が日本に生息しているそうです。

蛍は古くは『日本書紀』（彼地多有蛍火之光神）や『万葉集』（螢成）に既に登場しています。

「夏は夜。月のころはさらなり。やみもなほ、蛍の多く飛びちがひたる。また、ただ一つ二つなど、ほのかにうち光りて行くもをかし。雨など降るもをかし」は、清少納言の『枕草子』「春はあけぼの」に登場する有名な一節です。

65年前の3月、中学の卒業式の時、私は「仰げば尊し」と「蛍の光」を歌いました。戦後13年しか経っていなかったので、町の中学校は一つだけのマンモス学校でした。一学年（53人×12クラス）600人で合計1800人位の卒業式でした。我々新世界へと踏み出す卒業生、見送る後輩や先生、成長を見守る家族も一同に歌いました。

～螢の光 窓の雪 ふみよむ月日 重ねつつ いつしか年も すぎの戸を

あけてぞ今朝は　別れゆく～

　「蛍の光」の原曲はスコットランドの「Auld Lang Syne」。という外国の曲でした。「仰げば尊し」は、　アメリカの「Song for the Close of School」という曲でした。明治の頃「小学唱歌集」として日本語の歌詞がつけられました。

　歌声は講堂内に響き渡りました。ちょっと涙して……その時の「蛍の光、窓の雪」の意味はなんとなくしかわかりませんでした。

　この歌は、晋の車胤は家が貧しくて灯油が買えませんでした。そこで蛍を集めてその光で書を読みました。孫康は窓辺に降り積もった雪の明かりで書を読んだという、『晋書』（7世紀）の故事に由来しているとあとで知りました。

　十数年前インドのアシュタンガヨガの聖地マイソールを旅した時、夜半寺院の宿舎に横たわっていると、外から何やら聞こえて来たので、何か？　虫の鳴き声？　いやちょっと違う……そっと窓を開けて見ると、糞掃衣を纏ったお坊さん達が大勢、門の外の通りをゆっくりと歩きながら月あかりの中、経典を持って熱心に暗唱している声でした。沢山の虫が鳴いているように聞こえたのは、経典を読み上げている声だったのです。その時、頭をよぎったのが「蛍の光窓の雪」でした。電気のない世界で、蛍も雪もない。家の中ではあたらない、外でのみ与えられた月あかり……

　　　ゆっくりと僧ら歩みて読誦する 月あかりの中松籟のごとく
　　　　　　　　和子


　私たちが蛍の話になると、良く源氏蛍と平家蛍の名が出てきます。その名前の由来には諸説あります。紫式部の『源氏物語』の主役「光源氏」に由来して「源氏蛍」と名付けた。後に違う種類のホタルに対して「平家蛍」と名付けた説。また一緒に飛び交う様子を「源平合戦」を連想して、その時、歴史上、源氏が勝った事から体の大きい方を「源氏」、負けた方を「平家」と呼んだという説です。

　文明が進めば進むほど、夏の夜の過ごし方が変化して来ました。川面や草むらの暗がりに儚い光を放つ夏の夜の風物詩蛍の光は、現在では観光会社の人気の「蛍狩りツアー」と題して、各地の温泉地などで見ることができるようになりました

　子供の頃（70年以上前のことです）住んでいた家は、木造平家で、建物の周りは半分位障子と廊下と雨戸で出来ていました。夏は暑いので、風が強いか雨の日以外は雨戸も障子も閉めず、濃い緑色の蚊帳を吊って家族みんなで休みました。田植えの頃になると蛍が飛んできて、兄や姉と蚊帳の中に蛍を放してそれを眺めながら眠りに付いていました。猫も犬も放し飼いで、蛙も蛇もいました。遠い昔の夢のような思い出です。

　1978年NGO活動で初めてネパールへ行った時、カトマンドゥからポカラに向かう途中のヒマラヤの雪解け水がガンジス川に流れるカリガンダキに掛かる長～いつり橋を渡って

しばらく山道を歩くと、NGO活動のお世話をして下さっているクシシュナさんの家があります。そこに泊まった時の事、季節は7月の初めだったでしょうか？ 夜になって外に出ると目の前に蛍がいっぱい。大きな青い光でジュンキリと言っていました。子供の頃の情景が目の前に……タイムスリップしたようでした。

NGO活動

# 第二十七候 （芒種末候）「梅子黄」［うめのみきばむ］

6月16日～20日頃

　七十二候が 芒種 の末候になり、青々と実った梅の実が、黄色く色付く頃となりました。

　梅についてはすでに立春（二十四節気）次候・第二候「黄鶯睍睆〔うぐいすなく〕」で取り上げたので、この候では梅についての雑学を取り上げました。

　昔から今日に至るまで「梅は医者いらず」と言われるほど時を超えた万能薬で知られています。その効能は腸の働きの活発化、胃を元気付け、体の中の悪い虫を退治する……と、2000年以上前の中国最古の古書「神農本草経」に書かれているようです。

　薬があまりない時代、梅干しは一般家庭の常備食でした。つい最近まで、旅館に泊まると、必ずお茶と梅干しが座卓の上に用意されていました。これは江戸時代に書かれた『飲膳摘要』に「旅館では必ず朝食に梅干しを添えるを常とす。その味かえず」。とあるからのようです。それは「梅干しの七徳の一つで、さらに毒消しに良し。防腐に功あり。夏は飯櫃（めしびつ）に梅干し一個を入れておけば腐らず。病気を避けるに功あり。息づかいに功あり。走る際、梅干し口に含めば息切れせず。頭痛に功あり。夫人頭痛するごとにこめかみに貼るを常とする。梅干しよりなる梅酢は流行病に功あり…と書かれています。そう言えば子供の頃のおにぎりやお弁当にも必ず梅干しが入っていました。これもお弁当が傷まないよう、食中毒にならないようにという昔からの教えだったのです。それで母は頭が痛い

梅とり『おもいでえほん』よしだひさえ

ボルブドール

と言って梅干しを潰してこめかみに貼っていました。歯が痛いときもほっぺに貼っていました。

30年くらい前、インドネシアのボルブドールへスケッチ旅行に行った時、カナダ人の女子高生テリーと一緒でした。テリーと私と私の娘は王宮のディナー付きの劇を見に行って、アメーバー赤痢（？）に……銀のお皿に盛られたフルーツを食べた瞬間、しまった！このフルーツは、昼間自転車で村をまわった時、多勢の女の人がおしゃべりをしながら楽しそうに果物を剥いていた……あれだ！　と気がついたのです。私と娘は発症する前に正露丸と梅干しを食べました。その後も何も食べないでチャイだけを大量に飲みました。テリーにも勧めたけど梅丹エキスと正露丸は全く受け付けませんでした。

翌日、テリーだけお医者さんに応診して頂くほど悪い状態に……。先生が帰るときに「彼女のさわった物は触らないように」と言われて、やっぱり……と、翌日彼女だけ国際病院に入院。私たちは梅丹エキス、正露丸のおかげで難を逃れたのです。梅干しは大切な旅の友…。30年以上前から仏画教室主幹として通っている寶蓮寺（亀戸）の鈴木裕子さまが何日もかけて作って下さる梅肉エキスは、現在NGO活動、文化交流などで僻地や外国へ行く時は必ず持って行く必需品です。

梅干しよりなる梅酢は流行病に功あり…ん？　ひょっとしてコロナにも？　そ〜うだったら良いのにな〜♪

# 第二十八候（夏至初候）「乃東枯」［なつかれくさかるる］

6月21日〜25日頃

夏至の初候になり、乃東が枯れていく頃となりました。

乃東（だいとう）は、漢方では夏枯草（かこそう）呼ばれているシソ科のウツボグサの古名です。ウツボの名は、その昔に武士が矢を入れ、腰や背につけた「靭（うつぼ）」に似ていることから付けられたようです。また靭は「松傘草」とか「虚無僧草」とも言われています。松傘とは花穂がそれに似ていることであり、また虚無僧のかぶる笠とも似ていることによります。花は渡鳥の郭公（かっこう）が鳴く頃に咲きます。

ウツボ草が古くよりあったことは中国最古の医学書『神農本草経』（250〜280年ころ）に、

「夏枯草」と記されていることから知られます。現在も、漢方薬として、利尿薬、腎炎や膀胱炎、扁桃炎、うがい薬などに使われています。ウツボグサは、薬用、食用、飲用、精油、ポプリ、リース、生け花、ドライフラワー、その他クラフト、浴用と幅広い用途があるようです。

六道曼荼羅　ヒポクラテス

　欧米でも、Self-Heal（all-heal）と呼ばれて、全てを癒す強力なヒーリングハーブとされている薬草です。「self-heal（セルフ・ヒール）」は「自己治療」を意味します。人が病気になった時、病院へ行きます。病気を治すのは誰でしょう？ 病気を治すのはその人自身で、お医者さまではありません。病院のお医者さまは治療はして下さいます。しかし治すのは本人です。どんなに良い治療をしても本人がその気にならなければ病気は治らないかもしれません。だから病気は、気の病と書くのだと思います。Self-Healもそういう事だと思います。人間の気持は、最高の薬なんです。

六道曼荼羅（レプリカ）染川英輔画　観蔵院曼荼羅美術館本館

　観蔵院曼荼羅美術館の展示品の一つに、染川英輔　画 『六道曼荼羅』（新六道図）があります。美術館本館に入るとすぐ右側に展示してあります。ここに展示してあるのは本寺、三宝寺地蔵堂にお祀りしてある六道曼荼羅のレプリカです。オリジナルは、時間内ならいつでも自由に無料で拝観出来ます。

　その天上界に、ヒポクラテスが描かれています。天上界ですので、当然聖人として描かれています。他には西洋ではキリスト、天馬プラーク、ソクラテス、バッハ、ブラームス、他。東洋では孟子、孔子、聖徳太子、光明皇后等々。丁寧に美しく描かれています。

　そこで、医学の父、ヒポクラテスの格言をご紹介します。

　　・歩くと頭が軽くなる
　　・すべての病気は腸から始まる
　　・歩く事は人間にとって最良の薬である
　　・満腹が原因の病気は空腹によって治る

- 人は自然から遠ざかるほど病気に近づく
- 病気は食事療法と運動によって治療できる
- 食べ物で治せない病気は、医者でも治せない
- 人間は誰でも体の中に百人の名医を持っている
- 賢者は健康が最大の人間の喜びだと考えるべきだ
- 私たちの内にある自然治癒力こそ真に病を治すものである
- 筋肉を十分使っている人は病気に罹りにくく、いつまでも若々しい
- 心に起きる事はすべて体に影響し、体に起きる事もまた心に影響する
- 人間がありのままの自然体で自然の中で生活をすれば120歳まで生きられる
- 病気は人間が自らの力をもって自然に治すものであり医者はこれを手助けするものである

（出典：牧幸男『植物楽趣』）

おかげさまで、私は10年以上、外科以外、内科、眼科、歯科他、無縁です。

## 第二十九候（夏至中候）「菖蒲華」〔あやめはなさく〕

6月26日〜30日頃

　七十二候が夏至の中候になり、菖蒲の花が美しく咲く頃になりました。

　菖蒲は、この候では「あやめ」と言っていますが、私たちが子供の日に入る菖蒲湯は「しょうぶ」と呼んでいます。

　「いずれあやめかかきつばた」と昔から言われている「あやめ」と「かきつばた」は同じアヤメ科に属する花で、これはどちらも優れていて優劣がつかず、選択に迷うことのたとえです。古典の「太平記」による源頼政が鵺退治をしたご褒美に菖蒲前という美女を賜るにあたり、目の前に並べられた美しい女性の中からあやめの前を見つけ出すよう命ぜられた時に「五月雨に沢辺の真薦水越えていづれ菖蒲と引きぞ煩ふ」と詠んだだ歌が「いずれアヤメかカキツバタ」と、変わって現代に伝わったようです。

　そう言えば、子供の頃母が兄2、姉1、私と全部違う種類のお菓子を4つ並べて「じゃんけんで決めなさい」と、そこで先に選ぶだれかが「どれにしようかな　天の神様の言う通り　あべべのべ、柿の種、アイスクリーム、玉手箱、天の神様の言うとおり　はい、決めた」と言って決めていました。この決め方は「どれにしようかなの文化」と言われるほど、全国500以上のいろいろなパターンがあるようです。

　千葉県では「どれにしようかな　天の神様の言う通り　なのなのな　鉄砲打ってバンバ

ンバン　ビー玉10個バンバンバン　もいちどおまけにバンバンバン」

　京都では「どちらにしようかな　天の神様の言う通り　鉄砲撃ってバンバンバン　も一度撃ってバンバンバン　柿の種　アブラムシ」

　東京都では「どちらにしようかな　天の神様の言う通り　天国　地獄　大地獄　天国　地獄　大地獄　天国　地獄　大地獄」等々。

　もし源頼政さんが、このおまじない（？）を知っていたら「あべべのべのべ　天の神様の言う通り　あやめか菖蒲か杜若　あやめか菖蒲か杜若　それとも桜か桃の花　神様の言う通り　はい、決めた」な～んて……、

　観蔵院の境内にこの頃、次から次へと非常に姿かたちが似ていて見分けがつきにくいアヤメ・ハナショウブ・カキツバタが、咲き始めます。5月5日の端午の節句にお風呂に入れるのを間違えて「これは違う」と、失敗した事もあるくらいです。これら三つを見分けるポイントは、花弁のつけ根を見ることで解決です。

　花の色はどれも紫色ですが、菖蒲には網目模様、菖蒲には黄色い菱形模様、杜若には白く細い線が入っているのが特徴です。

　観蔵院薬師堂天井絵に「あやめ」と「菖蒲」があります。そう言われてみれば違いが分かるのですが、そのまま見たのでは逆に説明しても異を唱える人はいないでしょう。

観蔵院薬師堂天井絵　菖蒲
志津里寿納画

観蔵院薬師堂天井絵　あやめ
竹林美智子画

## 第三十候（夏至末候）「半夏生」〔はんげ しょうず〕

7月1日～6日頃

　七十二候が夏至の末候になり、半夏が生え始める頃となりました。

　半夏は、別名を烏柄杓と言い、漢方（半夏厚朴湯、半夏瀉心湯、半夏白朮天麻湯）では、その根を乾燥させたものを半夏と言います。「半夏生」は、季節の移り変りをより適確に掴

半夏生

むために設けられた、特別な暦日の雑節（節分・彼岸・社日・八十八夜・入梅・半夏生・土用・二百十日・二百二十日）です。「半夏生」はその中で唯一、七十二候から取り入れた名称で、この時期がちょうどこの薬草（半夏）が生える頃なので、そこからとった名称のようです。サトイモ科で、地下にある球茎の皮を取って乾燥したものが漢方薬の生薬「半夏」カラスビシャクです。

　私たちが普段半夏生と呼んでいる植物が、観蔵院の境内に毎年この時期になると群生して咲きます。半夏とは関係のない「カタシログサ」と呼ばれるドクダミ科の植物のようですが、葉の一部を残して白く変化する様子から半分化粧をするという事で、「半化粧」と呼ばれたのが「半夏生」になったとする説などがあります。自生するハンゲショウは近年では減少傾向にあり、東京都、熊本県では絶滅危惧種に指定されています。

　古くから農耕民族であった日本人は、農作業に影響する季節の流れを掴むために雑節を設けて、豊かな実りのために懸命に暮らしを営んできました。半夏生は稲作における大切な節目で、半夏生の頃に花を咲かせることからこの花を目印に、昔から「半夏生の前に田植えを終わらせる」ものとされ、田植えがこの時期を過ぎてしまうと秋の収穫が減ると言われてきました。

　また農耕に携わる人々に対して、健康を気遣ったり、様々な言い伝えがいろいろな地域に残っています。「はんげにんじん」はこの頃人参を植えると良い。長野県の佐久地方。「半夏生から5日間は何もしない」と言って田植えの疲れを休める地域。半夏生には「ハンゲ」という妖怪が徘徊するから外に出てはいけない等々。

　「半夏生」は、古くから守られてきた我々農耕民族の優しく大切な言の葉なのです。


# 第三十一候 （小暑初候） 「温風至」 ［あつかぜ いたる］

7月7日〜11日頃

　七十二候が小暑の初候になり、熱い南風が吹き始める頃となりました。この頃に梅雨が明けて、日に日に暑さが増していきます。

　強い日差しと共に湿った風が吹き込んで、突然の雷雨や突風が吹いたりで特に畑仕事や外出には注意が必要です。

古の頃からわが国では季節に伴う美しい言葉が沢山あります。季節によって吹く風にもそれぞれ名前がついています。それは和歌や短歌につながり多くの季語にもなっています。

梅雨時に吹く風にも梅雨の初めに吹く風を鬱陶しい雨雲に覆われているので「黒南風」、梅雨の最盛期に吹く強く荒れた南風は「荒南風」、梅雨明け後に吹く爽やかな風は「白南風（しろはえ）」と、風にもその光景に合った色をつけ

NGO 活動

ました。色彩を使って風を表現する日本人の豊かな感性には脱帽です。日本語の風の名前は、農業や漁業など自然の中で働く人々がつけたものを中心に2000種類以上あるといわれています。春一番、東風、貝寄せ、薫風、青田風、盆東風、野分、いなさ、金風、雁渡し、木枯らし、おろし、空風、緑風、青嵐、微風、一陣の風、雄風等々。

世界では、風にまつわる素敵なお話がいくつかあります。以前NHKのドキュメンタリー番組でアネハヅルのヒマラヤ越えを取り上げていました。NGO活動をしているネパールが関係していたので興味深く見ました。ネパールの首都カトマンドゥには年間900人前後の登山家が世界中から訪れるそうです。スマホの天気予報のない頃の話。アネハヅルは、全長約90㎝と小さいツルですが、高度4000メートルから6000メートルのヒマラヤを、上昇気流を上手に利用しながら超えて、インドに昆虫や穀類などの食料を求めて行くため、天気が左右するそうです。天気が良くなるその時を何日も待っているのだそうです。それで登山家たちはアネハヅルが飛び立つのを待つ。その時が来て一斉に飛び立った時、ヒマラヤ登山の開始になるとの事でした。それがいつか？　その時私の記憶では「そうかボジョレヌーボーの頃と同じなんだ」と思ったので、毎年11月の第三木曜日頃だと思います。登山ガイドで有名なシェルパ族は、アネハヅルが上昇気流に乗り、優雅に飛んでいる姿を見て、「風の鳥」と呼んでいるようです。それにしても「風の鳥」とは素敵な名前ですね。

今から2500年近く前、この地方を行脚されていたお釈迦さまもこのアネハヅルの群れをご覧になられたのでしょうか……

# 第三十二候（小暑中候）「蓮始華」〔はすはじめてひらく〕

7月12日〜16日頃

　七十二候が小暑の次候になり、蓮の花が咲き始める頃となりました。

　観蔵院の境内に小さな蓮池があります。この頃になると綺麗な花を咲かせます。一日目は蕾で、二日目は早朝に花を咲かせ、夕方にはしぼみます。二日目も早朝より花を咲かせますが、花芯の色が少し変わります。三日目の花は夕方になってもしぼみません。四日目からから花びらは一枚落ち、二枚落ちと…花期を終えます。四日間の花の命です。

　この蓮は「奇跡の大賀蓮」と言われている蓮です。わが国で蓮の花が太古より自生していた事を証明するもので、縄文時代（2,000年前）の落合遺跡（千葉県千葉市検見川にある東京大学検見川厚生農場）から偶然3粒の蓮の種が発見されました。そのうちの一粒を、大賀一郎博士が発芽、開花（昭和27年（1952）7月8日）に成功。「奇跡の大賀蓮」として、世に知られるようになりました。その後、この蓮は国内外へと根分けされて、各地で美しい姿を見せています。

　蓮の歴史は大変古く、約1億年前の地層から蓮の化石が発見されています。蓮の花咲く大地を恐竜たちが闊歩していたようです。日本では7000万年前の化石が福井県で発見されています。その原産地は、エジプト、インド、中国のいずれかで、確かな文献がないため原産地は不明なようです。エジプトでは、紀元前2400〜前2300頃のサッカーラ　イドゥトの墓にロータス（蓮）文様が浮き彫り彩色されています。またツタンカーメンの遺跡からも、月の船の胸飾り（前1350頃）に一連のロータス模様が発見されています。他にも多くの壁画や装飾品にパピルスと共に数多く使われています。この二つはエジプトの国花になっています。

　さて、忘れてならないのは私たち仏教徒にとっての蓮の花です。観蔵院曼荼羅美術館の両部曼荼羅、別尊曼荼羅、私が現在描いている勢至菩薩、その他殆どの仏様は蓮台に座しています。蓮は水生の植物で、沼や池の泥水の中から真っ直ぐに茎を伸ばし、その先に綺麗な花を咲かせます。

　その蓮の花は衆生を救う五つの徳を備えています。

　蓮の五徳

　①汚泥不染の徳〔おでいふぜんのとく〕

　私たちは生きていく上で、どうしても人に迷惑をかけたり、過ちを冒したりしてしまいます。しかしその事に気付き全てに感謝の気持ちを持って日々精進すれば、必ず美しい花を咲かせる事が出来るという教え。

　②一茎一花の徳〔いっけいいっけのとく〕

　私たちはひとりひとり唯一無二の存在です。誰もその人

境内の大賀蓮

の代わりはできません。自分自身をしっかり見つめ悔いのない人生を送りましょう。という教え。

③花果同時〔かかどうじ〕

人は生まれながらに綺麗な花を咲かせる種を持っているのです。その種を枯らせる事なく日々磨きをかけましょう。そうすれば必ず美しい花が咲くでしょうという教え。

④一花多果の徳〔いっけたかのとく〕

一つの花には沢山の種が出来ます。自分で得た徳は他の人に分け与えましょう。常に人の幸福を祈りましょう。人の幸福を願うことはそれはやがて喜びとなって自分に帰ってくるでしょうという教え。

⑤中虚外直〔ちゅうこげちょくのとく〕

平家納経　小峰和子復元模写

蓮の茎は硬くてピンとまっすぐに太陽に向かって伸びています。しかし蓮の茎は中は空洞になっていて、無数の穴が空いています。これは人間の弱さを表しています。柔軟性とも取れます。人は自分自身の弱さを認め、蓮の花の茎のように確固たる信念を持って困難に立ち向かうと良い結果が得られるという教え。

すなわち蓮の花が仏さまの花になったのは、人間の煩悩に冒されず、人々の迷いの世界から悟りへと導いてくれる真理を備えている花だから？　でしょうか。

10年近く前のNHK大河ドラマ「平清盛」で清盛が厳島神社に平家一門の極楽往生を願って、国宝の「平家納経」を納める場面をお手伝いをさせていただきました。その折、描いたのが西方極楽浄土には蓮の池があって一年中綺麗な蓮の花が咲いているのだという『阿弥陀経』の世界でした。

観蔵院薬師堂の天井絵にも綺麗な蓮の花が二枚描かれています。また、書院入り口の正面に「蓮華蔵世界」と題した大きな額が飾ってあります。この絵は、東大寺大仏殿の大仏の蓮華座の裏に線刻されている日本最古の線刻仏画を絵画にしたものです。蓮の花びら一枚に三千世界が描かれているもので、『梵網経』という経典からきています。

十数年前、インドを旅した時、あの大きな国の大地を車で走りました。その時向こうが見えないくらい大きな蓮池を通りました。蓮の花がどこまでも続いていて、その後仏教寺院へ行くと入り口に蓮の花束が売られていて、皆それを買ってお供えしていました。沢山置かれていましたが、帰りにまたそこを通ると小さな子供がお供えの花束を悪びれた様子もなく堂々と抱えて元の売り場に戻していました。日本では考えられない事ですが、お釈迦様のお生まれになった国では、こんなにおおらかに時が過ぎてきたのでしょうか……

# 第三十三候（小暑末候）「鷹乃学習」〔たか すなわちわざをならう〕

7月17日〜21日頃

　七十二候が小暑の末候になり、春に生まれた鷹の雛が、巣立ちの準備をする頃となりました。飛び方や狩りの方法を習い、独り立ち出来るよう学びます。

　鷹と鷲は同じようですが、大型のものを鷲、小型のものは鷹と呼ぶようです。

タカ科の鳥は220種ほどあり、日本ではオオタカ、クマタカ、サシバ、チュウヒ、ツミ、トビ、ノスリ、ハイタカ、ハナクマ、ミサゴ、など。

ワシ類ではイヌワシ、オオワシ、オジロワシ、カンムリワシなどが知られていて、古代、神が宿る鳥とされ「クチ」とよばれていました。

観蔵院薬師堂天井絵　鷹と松
石川義和画

　観蔵院の本寺は、石神井の亀頂山密乗院三寶寺（応永元年(1394年)に鎌倉・大楽寺の幸尊法印（？-1398）の開山）です。そこの十一堂伽藍（御成門、本堂、大師堂、大黒堂、鐘楼堂、大塔、書院、本坊、正覺院、長屋門）の一つ、御成門（現在の門は、1827年（文政10年）再建、境内最古の建築物で練馬区登録有形文化財）は、徳川家光が鷹狩りで立ち寄ったことに因み、御成門と呼ばれています。

　鷹狩りは「日本鷹匠協会」のホームページによると、その歴史は大変古く、紀元前千年代から蒙古・中国・インド・トルキスタンの広大な平野で既に発達していたようです。やがて、それはトルキスタン人によってペルシャに伝えられた。ヨーロッパでは、紀元前400年頃貴族や聖職者などによって広められ、13世紀には最盛期となり鷹（ハヤブサ）は、この時代のシンボルとなっていたようです。

　我国には、仁徳天皇の時代（西暦355年）に大陸より伝えられ、『古事記』や『日本書記』にも記録が残っているほど、猛禽類の中では昔から人に身近な存在でした。朝廷を中心に王侯貴族の遊びとして栄えました。大伴家持は異常なほど鷹を可愛がり、『万葉集』には、鷹を詠んだ歌が7首、そのうち6首は大伴家持が詠んだ歌です。

　　矢形尾の真白の鷹をやどに据ゑ
　　掻き撫で見つつ飼はくしよしも

　　　　　　　　　　　　　（巻19-4155　大伴家持）

　（矢のような形をした尾をもつ白い鷹　この鷹を家の中で飼い、いつも優しくかき撫でて大切にしている
　　私の鷹よ。実に可愛いなぁ）

観蔵院薬師堂の天井絵に鷹の絵があります。この鷹は、描かれた石川義和先生のお話によると、四国を車で走行中山道に差し掛かると、突然目の前に現れてしばらくじっとしていたので、急いでカメラに収めたとの事。それまでは鷹を描くよう頼まれたけど、どうしたものか？ 動物園にでも行かねばならないか？ と思案に暮れていたのだそうです。「奇跡の蓮」があれば「奇跡の鷹」もあったんですね。

三寶寺　池　ハナコ天井絵

実は「奇跡の猫」もいるんです。同じく天井絵に「桜と猫」があります。この猫ちゃんはハナコという名前で、21年間観蔵院に住んでいた猫です。猫好きなお檀家さんの人気ものでした。今の住職が高校生の時、雨の中、捨てられていた生まれたばかりの小さな猫をお腹の中に入れて拾ってきました。すぐ獣医さんへ連れて行くと「もうこの猫は助かりません」と見放されてしまいました。それから夜中も2時間おきに粉ミルクを飲ませ温め続け介抱した結果、一週間位した時に元気を取り戻したのです。天井絵を描くときに迷わず私はハナコを選びました。ちょうど庭に箱根の山を歩いていると見ることの出来る箱根空木の花が咲いていたので、その花と一緒に描きました。ハナコの下図は高校生だった現住職が描き、それに岩絵の具で私が彩色しました。ハナコは家族の一員でした。ハナコが亡くなった時、家族みんなで悲しみました。今は敷地内にあるニルバーナ（ペット霊園）で静かに眠っています。しかし幸いな事に今でも薬師堂へ行くと絵の外にちょっと手をはみ出した悪戯ハナコに会えます。獣医さんに見放された猫が多勢の人の信仰を受けるお堂の天井絵になったのです。私たちがいなくなってもずっとこの可愛い姿で残るでしょう。まさに「奇跡の猫」なんです。

# 第三十四候 （大暑初候）「桐始結花」 ［きり はじめてはなをむすぶ］

7月22日〜27日頃

七十二候が大暑の初候になり、桜の花が終わった頃から美しい紫色の花を咲かせていた桐の花が、実を結び始める頃になりました。

鳳凰と桐の花（五條袈裟）

桐の実は、長さ三センチ位の楕円で、中に「流氷の天使」と言われるクリオネを思わせる種がびっしり入っていて、割れるとタンポポの綿毛のように風に乗って四方八方へ飛んで行きます。

古来中国では、桐の木は高徳の聖天子が即位すると現れるという伝説上の霊鳥『鳳凰』がこの木にだけ宿る神聖な木として知られています。また、高貴な色とされる紫色の花を咲かせることから、日本でも平安時代の頃より天皇家が着用する衣に桐や鳳凰の紋様が、菊のご紋に次いで格式ある紋として使われるようになりました。

枕草子「木野花は」で、清少納言は「桐の木の花は紫色に咲いて風情がある」……と、さらに「中国には、この木にだけとまる初々しい名前のついた鳥（＝鳳凰）がいるのはこの上なく格別」と言っています。天皇家のシンボルとして「菊」と「桐」は家紋とされ、現在は、パスポートの表紙には、日本の象徴として金色のキクの紋様が描かれています。そのパスポートの所持者を示す写真を添付している頁には、キリの紋様が描かれています。また、勲章にも「桐花大綬章」として用いられていて、最も身近な紋様としては500円硬貨の紋様も桐です。

子どもの頃、庭に二本の桐の木がありました。その木の大きさは大小少し違っていました。その木は、私と姉が生まれた時に父が植えたものでした。成長が早くすぐに大きくなり、切ってもまた直ぐに芽を出すので、その木は切られるためにあるから桐の木というんだと、母に聞かされました。いつの頃からか、その頃は、女の子が生まれると桐の木を植えてお嫁入り道具のタンスにする習慣がありました。他にも下駄、琴、衣装箱などが作られました。毎年、春と夏の季節の変わり目頃に、紫色の大きな綺麗な花を咲かせて、みんなを楽しませてくれました。

姉と私が結婚するときは、新しいセット家具が出来ていて、その木はタンスになる事はありませんでした。今でも二本の桐の木は、実家の庭の隅で大きくなって、初夏に綺麗な花を咲かせている事でしょう。

# 第三十五候（大暑次候）「土潤溽暑」〔つちうるおうてむしあつし〕

7月28日〜8〜1日頃

　七十二候が大暑の次候へと変わり、熱気がまとわりつくような蒸し暑い頃となりました。土が強い陽気を受けて熱を発することや、熱そのものを「土熱れ」と言ったりします。また、晩夏の季語で和暦の水無月（現在の7月ごろ）の異称「溽暑」、歩道が熱気でゆらゆらと目が眩むほど熱くなるので、「炎天」「炎ゆる」「灼くる」などの季語もあります。

　よくニュースや新聞などで耳にする暑さの基準は、気象庁で決めた呼び名で「「夏日」は最高気温が25℃以上の日、「真夏日」は30℃以上の日のことを指しています。加えて2007年からは、35℃以上の日を猛暑日、さらにこの時期、夜になっても気温が下がらず、一日の最低気温が25℃以上の日を「熱帯夜」と呼び、真夏日や真冬日とともに、気候の統計値に用いられています。

　気候温暖化の影響で、毎年「猛暑」に襲われている日本列島。2018年8月28日、一年で最も暑さが厳しいとされる「大暑」のこの日、私の故郷に近い埼玉県熊谷市で国内の観測史上最高となる41.1度を記録しました。

　この頃から夏でもクーラーを必要としなかった北海道、ヨーロッパ各地で熱中症で亡くなったというニュースが頻繁に聞こえるようになりました。現在、地球温暖化、ヒートアイランドなど、地球規模で対策がなされています。

　私たち一人一人が地球温暖を防ぐために出来ることは
①まず資源ごみの細分化を実施する事。
②近場のお買い物は車を使わない。
③マイバックを持参する。
④エアコンの設定温度は、夏は28℃、冬は20度に。
⑤使わない電化製品は、コンセントからプラグを抜いておく。
⑥誰もいない部屋の電気は消しましょう。
⑦テレビのつけっぱなしはやめましょう。
⑧水は大切に。水場の出しっ放しはやめましょう。
⑨植物を育てましょう。緑を増やして地球をクリーンにしましょう……等々でしょうか？
とにかく日本の夏は蒸し暑い。

　昔のフランス映画で、長いフランスパンをそのままドアの外に立てかけてある場面を見たことがあります。湿度の高い日本では考えられない事です。

　他にもあります。外国人と旅行をした時、彼女の部屋へ行くと下着が地べたにそのまま置いてあってびっくりしました。湿気のない所での生活は雑菌が繁殖しないのでしょうか？　そういえば洗濯物も日本のように襟の汚れはありませんでした。汗をかいてもから

生産地　練馬区観蔵院畑
生産者　小峰彌彦（長老）

りとしていた覚えがあります。

　子供の頃、まだ冷蔵庫も扇風機ものない頃、暑さを凌ぐのには、まずうちわ、扇子、そして朝、スイカを網に入れて紐で括り井戸の中にスルスルと下ろして、午後3時それを引き上げる。家族、お手伝いさん、みんなで囲んで食べました。今思うと贅沢な事でした。井戸水は夏冷たくて冬は暖かい。真夏の猛暑日井戸水で冷えたスイカは今冷蔵庫でキンキンに冷やしたスイカよりどれほど美味しかったか…スイカを冷やして真夏の暑い時に食べると、体の中から涼しくなったような気持ちになれますよね。けれど、スイカはあまり冷やしすぎると、甘みが減っておいしくなくなるといわれています。スイカをおいしく食べるための冷やし方には、どのようなものがあるのでしょうか。スイカが一番おいしいと感じる温度は、8度〜10度だそうです。だから、昔ながらの冷やし方で、井戸や川での冷やし方が最高に美味しいそうです。山登りをして里に降りてくると時々綺麗な天然の水場にスイカやトマト、キュウリが置いてあるのを見たことがありますが、今は井戸も川も難しいですよねぇ〜。

# 第三十六候（大暑末候）「大雨時行」［たいうときどきふる］

8月2日〜6日頃

　七十二候が大暑の末候となりました。
　「大雨時行」は夏の最後の候で、夕立や集中豪雨などの雨が激しく降る頃です。
　積乱雲と呼ばれる綿菓子のような入道雲が青空にたち上がると、突然の雷鳴と共に激しい雨に見舞われ、乾いた大地を潤します。家の北側の部屋にいて、急な大雨に驚き玄関に行くと、南側の外は明るく日が差していて驚くことがあります。馬の背の半分は雨が降っているのにもう半分は濡れてもいないという意味の「夕立は馬の背を分ける」ということわざを実感。
　この突然の雨は昔から「夕立」「にわか雨」「驟雨」「白雨」「村雨（むらさめ）」「銀竹（ぎんちく）」「銀箭（ぎんせん）」「神（かん）

立」「狐雨」などと表現され、万葉の昔から多くの文人によって夏の風物詩として和歌や俳句に残されてきました。

　最近の天気予報を聞いていると「突然の大雨」とか「ゲリラ豪雨」とか、よく耳にするようになりました。

地球温暖化や、エアコンの室外機が放出する熱などが原因のヒートアイランド現象などで、周りの空気が昼間に限らず暖められ、「ゲリラ」に例えられる突然の大雨が、夕

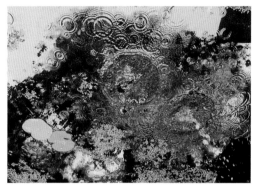

水たまり

方だけでなく場所も問わず、地球規模で起きるようになりました。

　雷については、第十二候（春分末候）「雷乃発声〔かみなり すなわちこえをはっす〕」で、すでに記載済みなので、雷についての雑談といたします。

　私の故郷本庄市は「地震、雷、火事、親父」という言葉がある程、雷の多い場所です。特に母は特別に雷を怖がる人でした。子供の頃、目の前に雷が落ちて人が亡くなった怖い経験があったからです。私が外で遊んでいる時夕立がきそうになると、急いで家に帰りました。すると我が家は雨戸が引かれていて10部屋（寺でしたので）以上あった部屋の一つにお布団がいくつか敷かれていて、緑色の大きな蚊帳が吊られてありました。母はもう一番に避難していて、私たちもそこに避難しました。母は、稲光がする度に「遠くの桑原！遠くの桑原！」と祈っていました。子供の頃の怖い記憶がトラウマとなっていたのです。気丈で知的で何でも出来た眩しいくらい素敵な母でしたが、この時だけは母の別な姿を見たような気がします。では父は？　と言えば……どこにいたんでしょうね？　記憶にございません。蚊帳の中では一度も会ってない？　です。どこか別な場所で雨音と閃光を楽しんでいたのでしょうか？

　　　夕立の雨うち降れば春日野の　尾花の末の白露思ほゆ　　　　　　小鯛王

　　　よられつる野もせの草のかげろひて　すずしくくもる夕立の空　　西行法師

　　　吹きしをり野分をならす夕立の　風の上なる雲よ木の葉よ　　　　正徹

秋

萩　観蔵院境内

# 第三十七候（立秋初候）「涼風至」［すずかぜ いたる］

8月7日～11日頃

　七十二候が立秋の初候になり、まだまだ暑い日が続いていますが、ふと涼しい風が吹き始める頃となりました。

　残暑は厳しいものの、朝夕は少しづつ秋の気配を感じるようになりました。夕暮れになり、あたり一面、夜の帳（とばり）がおりると、草むらから虫たちの涼しげな音色が聞こえ始めます。

　この涼風を感じると思い起こす出来事があります。今から30年近く前、私の娘は、アメリカのワイオミング州のキャスパーというカナダの国境に近い町の州立高校（授業料は無料）へ通っていました。まだネット世界ではなかったので、人口2千人のその町の人達は、アジア系の人は全部中国人だと思っていたようで、日本人を見るのは初めてという、そんな町のDon & Loura宅にホームpkステイさせていただいておりました。素晴らしい家庭で、娘は多くを学ばせていただきました。10月になると12月のクリスマスのための準備が少しずつ始まり、数少ないお店屋さんのディスプレイもクリスマスオーナメントやプレゼントで飾られるようになったようです。そんな頃高校では、女子生徒の間でハーモニーボール というペンダントが流行っていて、娘もそれを近くに一軒しかないお店

ハーモニーボール

Don & Loura

に買いに行ったところ、お店のお年寄りの女性に「あなたのお名前は？」と聞かれたそうです。娘は「HARUKOです」と答えると、「ちょっと待って」とそのお年寄りはノートを調べて「このハーモニーボール は先週あなたのグランマーがあなたのために買いましたよ」と言われて、びっくりしたようです。私もその話を聞いてお腹の底に涙が滴るほど感激しました。と同時にアメリカについては表面的なことしか知らなかったので、改めて、アメリカの人々の素晴らしさを知りました。まず、日

本では未だかつて聞いたことのない出来事でした。その時のハーモニーボール は、娘から取り上げて今でも私の宝物の一つになっています。揺れると涼やかな優しい音がします。私はこの月の光が音を出しているかのようなハーモニーボール を時々揺らして楽しんでいます。

その素敵なホストファミリー Don & Loura 達とは、今でも親しく行き来をしております。

# 第三十八候（立秋中候）「寒蝉鳴」〔ひぐらし なく〕

### 8月12日〜16日頃

　七十二候が立秋の次候になりました。

　ヒグラシは、少しずつ早まっていく夏の日暮れを惜しむかのように、夕方から夜にかけて「カナカナカナ」と鳴きます。東京ではあまり聞かなくなりましたけど、それでも時々鳴くと、田舎育ちの私はどこかもの悲しく郷愁を感じます。

　蝉でまず思い浮かぶのは、松尾芭蕉の「閑さや岩にしみ入る蝉の声〔しずかさや いわにしみいる せみのこえ〕です。元禄2年5月26日（1680年7月13日）に出羽国の立石寺（現在の山形市）に松尾芭蕉が参詣した時に詠んだ発句で、『奥の細道』に収録されている誰もが知る名句です。

　暑い夏の間中聞こえてくる蝉の声は、種々様々で、その種類は季節とともに変わっていきます。

　4月下旬頃、最初に鳴き出すのは、ニイニイゼミで一日中「チー・チー」と鳴いています。7月の暑い頃に鳴くのはヒグラシで「カナカナカナカナ」と泣きます。7月中旬の大暑から「ミーンミーン」と鳴くのは、ミンミンゼミ。「蝉時雨」という美しい言葉があります。これは、色々な蝉たちが一斉に鳴く声が、時雨の降る音に似ているのでそうつけられました。

　鳴き声の主はみな成熟した雄で、お腹にある膜を震わせて鳴くそうです。

　そこで、芭蕉が詠んだ蝉が何ゼミだったのか？ 蝉の声論争は数多く行われて来ました。実地調査の結果、立石寺でアブラゼミが鳴くのは7月13日以降と分かり、結論はニイニイゼミということになったようです。ほとんどの蝉は夏の季語ですが、蜩（ヒグラシ）と法師蝉（ツクツクボウシ）は共に秋の季語になっています。

　私たちが夏のシーズンに聞く蝉の種類は、アブラゼミ・ミンミンゼミ・ニイニイゼミ・クマゼミ・ツクツクボウシの五種類くらいでしょうか。世界ではその種類は大変多く、亜熱帯から草原まで大小約3000種もの蝉があるようです。

蝉の抜け殻

　中国や東南アジア、アメリカ合衆国の一部、沖縄では、蝉を素揚げして塩で食べる習慣があるようです。中国では古くから生薬として使われていて、現在日本でも「センタイ（蝉退）」という漢方薬で出ているようです。熱冷まし、じんましんに効くようです。

　今から60年前、私が大学生だった頃、仲の良い友達3人と堀辰雄の『大和路・信濃路』の足跡を訪ねて旅をしました。私は、土門拳の『古寺巡礼』に載っていた室生寺のお堂（国宝）の扉に蝉が止まっているのを見たかったので。

　「錠前の蝉」は、奈良東大寺の蝉が日本最古で、日光東照宮、知恩院など特に各地の寺院で見られます。その意味は、止まっている蝉は音がするとすぐに飛んで行ってしまうので、その蝉を驚かせてはいけません、お静かに！という意味のようです。

　他に泥棒よけとも聞いたことがあります。なぜでしょう？　泥棒がそれを見て本物の蝉だと思ったら「まずい、そこの蝉が足音に驚いて飛び立ったら人に自分の存在を知られてしまう……」と思って退散するように……とのおまじない？　防犯カメラのない時代の先人達の知恵？

## 第三十九候 （立秋末候）「蒙霧升降」［ふかききりまとう］

### 8月17日〜22日頃

　七十二候が立秋の末候になり、深い霧が立ち込める頃となりました。

　霧と同じような現象で靄、霞、霧があります。どれも視界が悪くぼんやりした印象です。

　霞についてはすでに春の第五候でお話しいたしましたが、霧と聞くとまず思い出すのは、やはり子供の頃の百人一首

　　村雨の　露もまだひぬ　槇の葉に
　　霧立ちのぼる　秋の夕暮れ　　　　　　寂蓮法師（『新古今和歌集』）

　子供ながらに美しい詠だな〜といつも思っていました。この札は一字決まりの札で「むき」と覚えていました。母が上の句の「む」と呼んだ瞬間下の句の「き」で始まる札、つまり霧立ちのぼるの札をみんなで競い合って取りました。手を叩いたり、叩かれたり……

痛くても嘆く暇などありません。すぐ次の
詠が読まれるので皆真剣です。この遊びは
三人以上いないと成り立ちません。しか
し、文明の力で、何とテープ（今は
youtube？）があるのです。そのテープで何
度かした事があります。便利は便利ですが、
読み手が母だと、途中で咳き込んだり、水
を飲んだり、電話がなったりの、どったん
バッタンのお遊びで、楽しく懐かしい記憶
の中のかるたあそびでした。

かるた遊び『おもいでえほん』よしだひさえ

　今は「全日本かるた協会」主催の「競技かるた」がお正月恒例の和服姿での大会で、そ
の早業を見る事ができます。だけ……と、思っていたら小学校でも中学でも全校あげての
百人一首大会があるようで、小学生の孫は、全校で一位になったと嬉しそうでした。

　雨の名前には美しい名前が沢山あります。村雨はにわか雨の事。

　私は、山登りが好きです。時々霧の中、樹林帯を歩いたりします。すると雨も降ってい
ないのに水滴が落ちてくることがあります。これは、葉や枝についていた霧の粒が、少し
ずつ大きくなり水滴として落ちてきたもので、「樹雨」という美しい名前がついています。

　最近はコロナの影響でお家時間が多かったのですが、マスクの規制もなくなったので、
健康のために、NGO活動を続けるために、山登りを再開しようと思っています。転ばな
いように……気をつけて♪

# 第四十候 （処暑初候）「綿柎開」〔わたのはな しべひらく〕

### 8月23日〜27日頃

　七十二候が処暑の初候になり、綿を包む花の「萼（＝
柎）」が開き始める頃となりました。

　日本での綿花栽培は、延暦18年（799）に、三河現在の
愛知県に漂着した崑崙人（インド人か）により伝授され、こ
の地が日本の綿花栽培発祥の地となったようです。インド
では古くから綿が栽培され、モヘンジョ・ダロの遺跡（紀
元前2500年〜紀元前1500年）から綿布が発見されています。

　寒さに弱い綿花は日本の気候に合わなかったようです。

インドの国旗

インド大使公邸

その後安土桃山時代になって、栽培が盛んに行われるようになったという記録が残っています。

日本の近代紡績の産みの親と言われている渋沢栄一（1840〜1931）の生家は、綿織り物で有名な加須市正能村の近くの埼玉県深谷市で、そこはまた私の実家の近くです。母からその偉大さは良く聞かされました。2024年に20年ぶりに新しくなるお札は、千円札に「北里柴三郎」、五千円札に「津田梅子」、一万円札に「渋沢栄一」と決まりした。一万円札は40年ぶりの新デザインとなります。

インドでは古くから綿が栽培され、モヘンジョ・ダロの遺跡からは紀元前2500年〜紀元前1500年の綿布が発見されています。

コットン（綿布）の原料となる綿花は世界中、77か国で栽培されていますが、1位はインド、2位は中国、3位はアメリカです。

観蔵院曼荼羅美術館の展示品の一つ、染川英輔画『六道曼荼羅』（三寶寺地蔵堂の『新六道図』）のレプリカの天上界（右アジア側）に、マハトマ・ガンジーが描かれています。ガンジーといえば一般的には、糸車を回している姿が有名ですが、ここではお釈迦様の飢餓像のように描かれています。

綿花の生産量が世界一と糸車を回しているガンジーは、深い関係があります。糸車はインドの伝統工芸でしたが、イギリスの安い綿製品がインドに入ってくると、インドの人々は糸車をしまい込み、糸を紡ぐことを止めてしまいました。そこでガンジーはインドの人々に伝統ある綿織物をやめてしまわないよう再び糸を紡ぐことを呼び掛けたのです。そしてそれは大きな力となりインド独立の源となりました。インドの国旗に糸車が描かれているのはそのような経緯からです。

私は2022年、3ヶ月程インド大使夫人と、日本の国の花「桜」とインドの国花「蓮の花」を、岩絵の具や金箔を使って絵絹と麻紙ボードに描きました。素敵な絵になりました。インド大使ご夫妻は今はカナダへ異動になり日本を離れてしまいましたが、桜と蓮の花の絵はこれから先、異動先の世界中のインド大使公邸に飾られる事でしょう。

# 第四十一候 (処暑中候)「天地始粛」〔てんち はじめてさむし〕

8月28日〜9月1日頃

　七十二候が処暑の次候になり、暑さも弱まり、朝夕涼しさを感じる頃となりました。

　"粛"にはおさまる、弱まる等の意味があり、夏の暑さもようやく落ち着き、かすかに秋の気配を感じる頃となりました。

　誰かに「春、夏、秋、冬のいつが一番好き？」と聞かれると、私は即座に「夏の終わりの秋の始まり」と答えます。まさに「天地始粛〔てんち　はじめてさむし〕」のこの頃です。

　私は山登りが好きです。特にこの頃の山行は、急速に季節が動き始め、秋雨前線が登場すると、北の方から冷たい空気が運ばれてきて、涼風が大地をよぎります。

　山行は、歩く楽しみ、登頂する達成感というような登山の楽しみ以外に、やっと辿り着いた頂上で、眼前に広がる雄大な景色を眺めながら、持参したお弁当と同行したコーヒー好きな山仲間が、クッカー、ドリッパー、ペーパーフィルター、バーナー、ガス缶を使ってコッヘルに入れてくれる「至福の一杯」。最上のランチタイム。そんな時、汗をかいた火照った身体に感じるのが、この時期に吹いてくる涼風。他には代えがたい最高に幸せなひと時です。

　見上げるような急登を目の前にすると、「何でまたこんなところに来てしまったんだ」と気が凹む。それでもしばらくすると、懲りずにまた山に登る。あの頂上での至福のひとときを思い起こす。そしてヒポクラテスの格言が頭をよぎります。

　山登りを始めたきっかけは、中学の頃に八ヶ岳を縦走しました。その頃は新宿の駅構内で始発電車に乗るために時間待ちをしていました。今、ホームレスの人たちがコンクリートの歩道の隅に荷物と一緒に寝ているあの姿と同じです。その後は、近くの妙義山などへ行きました。それから何十年も山へは行きませんでした。48歳の時、急に具合が悪くなり検査をしなくては……と、思って考えたのです。このまま「病気は進んでいます。あと一年です」なんて言われたらどうしよう。子育て、家事、寺の事で毎日忙しくしていて自分の事はあまり考えられませんでした。お酒は下戸だし、カラオケも苦手です。そこで思い切って山登りを始めたのです。山先生は主人がお世話になっていた某有名出版社の名

山の写真

編集長さんでした。それで具合は？　なんと山へ行けば行くほど元気になり、その結果現在のNGO活動にも繋がったのです。今、午前3時です。山のお陰で全然疲れなくなりました。3時間寝れば十分です。ナポレオンよりすごい！　突然ばったり行くかもしれませんけど。検査は我が背が学長になった時、大学の決まりで北里大学病院の一泊コースの検査を受けました。私は知らぬ間に認知症検査まで入っていましたが、結果は全部異常なしでした。一方我が背は、あちこち境界線で、その後の注意が少し必要でした。そんな訳でこの原稿が終わったら高尾山か大山へ行こうと思っています。

　　ヒポクラテスの格言をもう一度。


　　1：歩くと身体が軽くなる
　　2：人は自然から遠ざかるほど病気に近づく
　　3：賢者は健康が最大の人間の喜びだと考えるべきだ
　　4：病気は食事療法と運動によって治療できる
　　5：筋肉を十分に使っている人は病気に罹りにくく、いつまでも若々しい
　　6：身体にとって良いことをするか、できなければ少なくとも悪いことをするな

---

# 第四十二候（処暑末候）「禾乃登」［こくもの すなわちみのる］

9月2日〜6日頃

　七十二候が処暑の末候になり、田畑に稲などの穀物が実り始める頃となりました。
　「禾」は「いね」や「のぎ」とも読み、稲・麦・稗・粟などの穀物を総称した言葉です。登は、実るを意味しています。すなわち稲穂が膨らんで黄金色になる頃という意味で、収穫はもうすぐです。風に吹かれて豊かに実る稲穂の様子に季節の移り変わりを感じます。

石畳

　しかし、同時に立春から数えて210日目にあたるこの時期は、「二百十日」と呼ばれ台風に見舞われやすいことから、古くから、風をおさめ、無事に収穫できることを祈る、風鎮祭が各地で行われます。
　越中八尾の風害から農作物を守るため風邪鎮めの祭り「おわら風の盆」は、210日目に当たる、毎年9月1日から9

月3日まで開催されます。各町内会の人たちがお揃いの衣装を着て編笠を目深く被り、洗練された踊りを、文化遺産になっている石畳（「日本の道100選」）の通りを歩きながら披露する事で有名です。哀愁を帯びた胡弓が奏でるおわらの調べが、ぼんぼりをかざした普段は静かな山間の坂の町に響き渡り、その光景を見に3日間で各種観光ツアーなど、20万人ものお客様が押しかけるほどの人気ぶりです。

石畳

　残念ながらコロナ禍で2020年、2021年は全面中止となりました。

　幸い2022年の「おわら風の盆」は開催されたので行ってきました。

　しかし、御多分に洩れず午後から雨になり当日になって中止になりました。

　ほとんど人はいません。いるのはプロのカメラマンと私たちのような物好き？

　しかし、「日本の道100選」に選ばれた石畳は、開催されていると一枚も見られないところ、雨に濡れぼんぼりの柔らかな灯に照らされた石畳は、息を飲むほどの美しさでした。プロのカメラマンさんはこの人のいない石畳を撮っていたのです。さらに坂道を登って行くと大きな神社（八天満宮）があって、そこで編笠を目深に被った着流しの衣装の、その日町を流すはずだった踊り手さんたちが大勢、哀調ある胡弓と三味線の音色を奏で次から次へと、情緒豊かに踊っていました。雨の中のこの風景……私はおしくらまんじゅうの「風の盆」より、心に残る素晴らしい「風の盆」だと思いました。

　農耕民族にとって大切な、豊作を願っての息吹を吸収しながら続けられている「おわら風の盆」これからも新しい変化を繰り返し、次の世代へと継承されていくことでしょう。

# 第四十三候 （白露初候） 「草露白」〔くさのつゆ しろし〕

9月7日〜11日頃

　七十二候が白露の初候になり、野の花や草の上に降りてきた朝露が、白く光って見える頃となりました。

　9月7日から二十四節気は「白露」となります。白は中国伝来の五行説では秋の色とさ

秋の空　書院二階より

れています。したがって「白露」は、秋が本格的に到来し、草花に露がつくようになるという事です。朝晩の気温差が大きくなると露が降り、日中の暑さもなんとか和らぎ、やっと秋の気配が深まってきます。中国伝来の五行説では、日本文化に深くかかわっています。

　白露を迎えると、暑かった夏も終わりとなります。江戸時代の暦の解説書『暦便覧』には「陰気ようやく重なり露凝って白し」とあります。

　朝露は、「露が降りると晴れ」と言ってその日の天気を教えてくれます。そういえば、子供の頃の「下駄占い」もその日の天気を教えてくれました。

　私の子供の頃は、皆下駄を履いていました。白露の頃までは皆素足でした。近所の家では草鞋を編んでいました。靴を履いている子供はごく僅かで、古いゴム底を持って行くと何か良いことがあったみたいです。まだ5歳くらいの記憶なので確かではないです。冬になると女の子は赤い別珍（ビロード）の足袋でした。子供達は栄養が不足していたので皆霜焼け、あかぎれが出来ていました。鼻水も出していて、ちり紙がないので洋服の袖の先で拭いていました。そのうち袖の先は鼻水が乾いては拭き、を繰り返すので防水加工をしたようになっていました。髪もボサボサ、小学校ではシラミ検査があって、シラミがいる子供はDDT？　という白い粉を髪の毛にかけられていました。ネパールへ行くとこんな光景がまだ少し残っています。日本の子供にとって今は幸せな時代になりました。一生懸命頑張っている子供も沢山います。将棋、野球、サッカー、ゴルフ、卓球、水泳等々……年齢が低年齢化して、皆輝かしいものです。いじめや、引きこもり、何の理由もなく人を殺したりの犯罪も低年齢化しているような気がいたします。ネパールの村の子供たちの目は、別な意味で輝いています。テレビがないから？　星が綺麗だから？　受験勉強がないから？　75年前の私の子供の頃にタイムスリップしたようです。

　いや、月明かりで勉強をする子もいるくらいですから……　今は本当に便利な時代になりましたが、戦争をしている国の人たちはきっと大変な思いをしている事でしょう。早く平和が取り戻せますよう祈ります。

ネパール　NGO活動

# 第四十四候 （白露中候）「鶺鴒鳴」［せきれいなく］

　七十二候が白露の次候になり、「ジーチチッジーチチッ」とセキレイが鳴き始める頃となりました。セキレイは他の鳥と違って甲高い鈴のような声で鳴きます。観蔵院の本寺の三宝寺の北側の三寶寺池は野鳥誘致林になっているので、一年を通してバードウオッチが楽しめます。十数年前ドイツからの留学生のお父様がいらした時、朝早く三宝寺池へ行ってお昼近くに帰ってくると、嬉しそうにビデオを見せてくれました。そこにはせわしなく動き回わる鶺鴒が写っていました。

天井絵「睡蓮と鶺鴒」
吉田久枝（80歳）画

　セキレイは、『日本書紀』の日本神話の中で国生みの伝承のひとつとして、伊弉諾〔イザナギ〕と伊弉冉〔イザナミ〕に男女の交わりを教えたことから、「恋教え鳥」とも呼ばれます。婚礼のときに供える床飾りの一つ鶺鴒台は、この故事に因んでいます。その形は島か州浜の形をしていて、足は雲の形、台の上には岩を根固めに置き、鶺鴒のつがいが飾ってあります。

　鶺鴒には、他にも様々な異名があります。イシクナギ、イモセドリ、ニワクナブリ（鶺鴒）、ニワクナギ（鶺鴒、熟字訓）、マナバシラ（鶺鴒）、ツツ（鶺鴒）、イシタタキ（石叩き・石敲き）、ニワタタキ（庭叩き）、イワタタキ（岩叩き）、イシクナギ（石婚ぎ）、カワラスズメ（川原雀・河原雀）、コイオシエドリ（恋教鳥）、オシエドリ（教鳥）、トツギオシエドリ（嫁教鳥）などがその一例です。

三宝寺池（野鳥誘致林）

　観蔵院薬師堂の天井絵に「睡蓮と鶺鴒」があります。

　この絵は私の母が描きました。80歳の時なのでちょうど今の私と同じ年です。それから107歳まで比較的元気にしておりました。きっと義理の姉と一緒の生活が楽しかったのだと思います。義理の姉は明るい聡明な人で、サウンドオブミュージックの主人公マリアみたいな人です。私はその義姉と結婚する前に2年間一緒に暮らしました。毎日毎日その素敵な人柄に多くを学びました。

# 第四十五候（白露末候）「玄鳥去」［つばめ さる］

　七十二候が白露の末候になり、春先に南の国からやってきたツバメが帰り始める頃となりました。

　第十三候「玄鳥至［つばめ きたる］」で、この頃のツバメは「春告げ鳥」と呼ばれていましたが、第四十五候では「秋燕」、「つばめ去り月」などと呼ばれています。無事子育てを終えたツバメは、暖かい南の国へと旅立っていきます。

天井絵　「芙蓉と燕」落合史津子

　子供の頃は沢山の燕を良く見かけました。

　『竹取物語』のかぐや姫や、『幸福の王子』、『おやゆび姫』の物語にはツバメが登場して、美しい絵が描かれている紙芝居や絵本で楽しみました。

　観蔵院薬師堂の天井絵に「芙蓉」があります。この絵はこの年に東京藝術大学の日本画科に入った落合史津子さんの絵で、天井絵を描くメンバーでは唯一十代の学生さんでした。染川画伯が高校教師をしていた時の最初の生徒の石川義和先生の生徒です。最高齢は『木槿』を描かれた土田はるさんでこの時82歳でした。暑い夏の日に観蔵院へ通って来られて、まだ練馬高野台の駅はなかったので石神井公園駅から歩いて来られました。お弁当持参で一日中この絵を描いて、また歩いてお帰りになりました。明治生まれの凛としたそのお姿に、会の人たちはいつも励まされていました。実は観蔵院曼荼羅美術館建立のきっかけを作って下さったのが、土田はるさんでした。今日の観蔵院曼荼羅美術館ができるまでには本当に大勢の方々のお力添えをいただいております。本寺三寶寺をはじめ、ブラームス（なぜか？）、染川英輔画伯、ロク・チトラカール先生、玉腰久子さま、猪瀬喜八郎さま、中村佳睦先生、西川みつ子先生、有賀正博さま、大田京一さま、そして何と言っても観蔵院の総代、世話人、檀徒の皆様のご理解とご協力のお陰で今日の観蔵院曼荼羅美術館があります。先日はドイツの旅行者が、わざわざ訪ねて来ました。ドイツのテレビの「TOKYO EYE」でこの曼荼羅を見て来たと言っていました。「TOKYO EYE」は私も海外のホテルのテレビで見たことがあります。

　今や観蔵院曼荼羅美術館は世界の美術館なのです。おかげさまで……

# 第四十六候（秋分初候）「雷乃収声」［かみなり すなわちこえをおさむ］

9月22日〜27日頃

　七十二候が秋分の初候になり、春から夏にかけて鳴り響いた雷が収まる頃となりました。

　今回の候は、春分の末候「雷乃発声［かみなり すなわちこえをはっす］」と対になっています。

　夏の間鳴り響いた雷も「暑さ寒さも彼岸まで」と、この頃になると聞こえてくる言葉です。本当に残暑厳しかった夏も朝夕やっと涼しくなります。

　春〜春分末候、第十二候「雷乃発声［かみなり すなわちこえをはっす］」3/30〜4/3頃で、鳴り始め、秋、この候で収まる雷。

観蔵院境内の彼岸花

　「雷」は"夏"の季語ですが、「稲妻」は"初秋"の季語です。春、春雷が凍てついた大地を目覚めさせ、夏の雷が大地を潤し稲や植物の成長を助けます。やがて初秋、稲妻は天然の肥料の窒素酸化物を作り、雨とともに大地に降り注ぎます。この雷に反応して作物は実るそうです。

観蔵院畑

　観蔵院畑ではこの頃の収穫は無くなりますが、夏の間の収穫は八百屋さんの前を素通りする位でした。

# 第四十七候（秋分中候）「蟄虫坏戸」［むし かくれて とをふさぐ］

9月28日〜10月2日頃

　七十二候が秋分の中候になり、寒さに備えて生き物たちが冬を越すための場所を探して、姿を隠す頃となりました。

　この候は、春〜啓蟄初候・第七候「蟄虫啓戸［すごもりのむし とをひらく］」3月5日〜9日の候と対になっています。

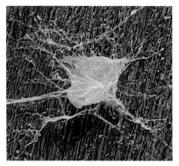

誰でしょう？

　暑い夏を活発に動いていた昆虫や他の生き物は、寒さの到来を察知して冬ごもりの支度に入ります。

　カブトムシやハエ、ハチ、チョウ、ガの仲間は、さなぎになって寒さに備え、テントウムシ、カメムシ、ハチ、アリは、落ち葉の下などに潜り込み、眠ったように動きません。ヘビやカエル、カメ、昆虫など、気温に合わせて体温が変わる変温動物などは、土の中にもぐって寒い冬を過ごします。そして来年の春、啓蟄（けいちつ）の頃になると再び姿を現します。観蔵院の境内では、これらの生き物のほとんどの姿を一年を通して見ることが出来ます。

　古くから日本人の食卓を楽しませてくれているものの中に、保存食品があります。虫たちが冬ごもりの準備に入る頃、村や町のあちこちで大根を干したり、柿を干したり、蒸したさつまいもを切って干し芋にしたりの、美しい季節を感じる光景が見られました。今でも山登りをして下山して来た里山には、懐かしいその光景が広がったりする事があります。

境内の様子

　しかし、今は一年中、沢庵も、干し芋も、干し柿も手に入ります。ネットで検索してチョイスするとワンクリックで、早いと翌朝には届きます。

# 第四十八候 （秋分末候） 「水始涸」 ［みず はじめてかるる］

10月3日〜7日頃

　10月3日〜7日頃七十二候が秋分の末候になり、田んぼの水を抜き、稲穂の刈り入れを始める頃となりました。お米は、開花してから約20日間で大きくなり、35日目頃に完熟します。これでお米が完成です。お米が完成したら、水を落として稲や土を乾かし、稲刈りに備えます。湿気の多かった蒸し暑い夏が終わり、みずみずしく茂っていた草木も潤いを失い、あたり一面乾いた雰囲気に包まれます。

　稲穂が実りの時を迎えるこの時季は、稲刈りを待つ田畑は黄金に輝く大地と化します。「もののあわれは秋こそまされと人ごとに言うめれど」と、兼好法師が『徒然草』（つれづれぐさ）の中

思い出絵本

で言っているように、農耕民族の日本人にとって晩秋は、特に生々流転の命の季節、素朴で美しく侘しい秋ならではの、にっぽんの原風景が、子供の頃に良く歌った懐かしい童謡とともに蘇ります。「赤とんぼ」、「もみじ」、「小さい秋みつけた」、「夕焼け小焼け」、「どんぐりころころ」、「まっかな秋」、「虫の声」、「里の秋」、「七つの子」、「十五夜お月さん」等々。

　そう言えば、明治生まれの亡き父がこの頃になると、口癖のように言っていた「実るほど頭を垂れる稲穂かな」の言葉と懐かしい昔を思い起こしています。

# 第四十九候（寒露初候）「鴻雁来」［うがん きたる］

10月8日〜12日頃

　七十二候が寒露の初候になり、雁が北から渡ってくる頃となりました。

　この候は、清明中候第十四候「鴻雁北［こうがん かえる］」4月9日〜13日の頃と対になった候で、ツバメ・ホトトギス・コノハズク・オオルリなどの夏鳥が南へ帰るのと入れ違いに、春に北へ帰って行った冬鳥が再び日本へやってきます。ちょうどこの頃に吹く北風は「雁渡し」と呼ばれ、秋の季語になっています。またこの風は、「青北風」とも呼ばれこの風が吹き出すと、海も空も、青色が冴えて、暑い夏も終わりを告げます。

　この候は（第十四候「鴻雁北［こうがん かえる］」と一緒なので、ここでは観蔵院薬師堂の、渡り鳥ではないのですが、鳥の絵をご紹介いたします。

観蔵院薬師堂天井絵「柳と五位鷺」
染川英輔画

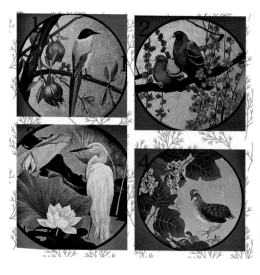

1「柘榴と尾長鶏」　岡野彰夫　画
2「桃と鳩」　石川義和　画
3「蓮と白鷺」　石川義和　画
4「葛と鶉」　堀光子　画

# 第五十候 （寒露中候）「菊花開」〔きくのはな ひらく〕

10月13日〜17日頃

　七十二候が寒露の次候になり、菊の花が咲き始める頃となりました。

　菊の花は、平安時代末期の後鳥羽院が菊の花を好んで、自らこしらえた刀に菊一文字の紋を入れたことから、いつしか皇室の紋章に用いられるようになり、それから天皇家の花として、日本を象徴する花になりました。明治になって（2年）、菊花は皇室の紋章として制定されたため、一般人の使用は禁止されました。

　菊は薬用として奈良時代に中国から伝わったようです。中国では2000年以上も前から薬用として栽培されていたという記録があります。しかし我が国でも日本原種の大和菊や嵯峨菊などが多数存在していたようです。

　旧暦9月9日の「重陽の節句」は、ちょうど菊の花の盛りの頃なので、「菊の節句」といわれました。

　昔、中国では無病息災と不老長寿を願い、この日に菊の花を浸した菊花酒を飲むならわしがありました。平安時代に日本に伝わってからは、宮中でも菊を用いた宴が催されるようになり、菊花酒を飲み、長寿と無病息災を願い、歌を詠むなどして楽しんだようです。その慣わしは、やがて庶民の間にも伝わり、江戸幕府が多くの節句の中から、5つの節句を公的な行事を行う式日と定めたことから、「菊の節句」は五節句のひとつに数えられるようになりました。

　食用の菊の花を乾燥させたものは、解毒やめまい、眼精疲労、消炎、鎮痛作用、高血圧

などの症状に効果があると言われ、生薬として使われています。

　生の菊の花は、殺菌、解毒の作用があると言う事で、大根、大葉、穂紫蘇、パセリ、赤芽などと一緒に刺身のつまとして添えられています。そして、菊の花の絞り汁は、「あかぎれ」や「しもやけ」「腫れ物」などにも効果があると言われています。

　また、この日に摘んだ菊の花びらを乾かし、菊の香りが漂う菊枕を作りその枕で眠ると、恋する人が夢に現れると言われて、女性が男性への贈り物にしたそうです。素敵ですね。

　我が家では食材が何もなくなると、地粉で手打ちうどんを作って、その間に走って庭の菊の葉を摘んで天ぷらにします。ほろ苦くてとても美味しいです。胃がすっきりします。特別に食用菊というのがあるようですが、庭の菊も毒があるわけではなく、苦味が強いというだけのようです。「良薬は口に苦し」ですね。

　最近は近所に美味しい讃岐うどんのお店が出来、あまり手打ちうどんは作らなくなりました。庶民の味方、〇〇〇うどん！　コシがあって本当に美味しいです。

観蔵院薬師堂天井絵　菊
北村香寿子画

観蔵院薬師堂天井絵　菊
松田要準画

# 第五十一候 （寒露末候）「蟋蟀在戸」〔きりぎりす とにあり〕

10月18日〜22日頃

　七十二候が寒露の末候になり、戸口で秋の虫が鳴き始める頃となりました。蒸し暑かった夏も終わり、澄んだ空気が心地よい季節を運んで来ました。

　きりぎりすと聞くと、幼い頃家族と良く歌っていた「虫の声」を思い出します。この歌を歌いながらコオロギや鈴虫の声に耳を傾け、夏の夜と秋の夜長を楽しんできました。

　こうした感性はほとんど東洋、それも日本人と中国人だけの特性で、欧米人にとって虫の声はただの雑音にすぎない、人間の脳は左右で機能がちがい、日本人は鳥や虫の声を、言葉や音楽と同じ左脳で聞いているのに対し、欧米人は雑音を聞くのと同様に右脳で聞いているという、日本の脳生理学者の研究があるので、この候に関してアメリカ人の娘婿に

虫の鳴き声について聞いたところ、彼は「虫？」「鳴き声？」ときょとんとして「アメリカでは虫は全部虫で、鳴き声も全部同じ音」と聞き、びっくりしました。そこで、今度はドイツのミュンヘン大学の元留学生の1人に聞くと、日本のような虫の声を楽しむ文化はないけど、全くないわけではないとの答えでした。そこで色々調べたところ、虫の鳴き声を楽しむ文化は大変古く、古代ギリシャまで遡ることができ、ヨーロッパやアジアなど世界各地で見られる事を知りました。しかしそれは比較的

つくだ煮

温暖な気候である事が条件かもしれません。大概の昆虫の活動的な気温は25〜30℃で10℃を割ると越冬体制に入るそうです。なので今は地球温暖化でだいぶ世界も変わっってしまったので、虫の文化も変化している事でしょう。

　中国では昔から年寄りや子供が虫の声を聞くと病気にならない、という言い伝えがあり、ある地方では庭に麦わらで作った大きな虫小屋を何層にも積みあげ、その中でキリギリスを飼っている農家が多く、それで生計を立てているとの事です。

　娘婿と留学生の場合、育ったのがウイスコンシンとミュンヘンなので、両方とも北に位置しているため、気候的にその文化は存在しない場所のようでした。

　我が国では、『万葉集』にコオロギの歌が7首あり、平安時代には鳴く虫を採り宮中へ献上する「虫撰（むしえらみ）」が始まり、捕らえた虫を庭に放して声を楽しむ「野放ち」や、野に出て鳴き声を聴く「虫聞き」などが行われたようです。『源氏物語』にも採ってきたスズムシやマツムシの鳴き声を楽しむ様子が書かれています。そう言えば私の田舎では子供の頃イナゴを食べていました。庭で遊んでいたその場所に沢山のイナゴが干してありました。そのままの姿だったので「どうして逃げないんだろう」と不思議に思っていました。

　十数年前、アメリカのボストン美術館へ行きました。この美術館は明治の廃仏毀釈の頃、貴重な美術品をアメリカ人のフェノロサと岡倉天心が持ち出し、破棄されなかった国宝級の芸術作品を多数所蔵しています。1876年の開館です。この美術館の一角に岡倉天心が食べていたという食品が展示してありました。何とその中にイナゴがあったのです。イナゴは稲を荒らす害

ウイスコンシン

虫なので、そのイナゴをとって食べる事は一石二鳥の、農耕民族の大切なタンパク質を摂取する知恵なのです。今でも「日本秘湯を守る会」に加入している宿に宿泊すると、イナゴが出て来ます。えびの佃煮みたいです。

# 第五十二候 （霜降初候）「霜始降」〔しも はじめてふる〕

### 10月23日〜27日頃

　七十二候が霜降の初候になり、北の国や山里に初霜が降り始める頃となりました。

　初霜と聞くと「心あてに　折らばや折らむ　初霜の　おきまどはせる　白菊の花」、「かささぎの　渡せる橋に　おく霜の　白きを見れば　夜ぞ更けにける」の歌が頭をよぎります。

　子供の頃からお正月になると家族でゲームをしてきました。一番人気は百人一首です。百人一首の読み札の表面には、大和絵の絵巻物から出て来たような美しい十二単のお姫さまや小袿、狩衣、冠直衣、烏帽子直衣、素絹五條袈裟などを装った、歌人の肖像画と作者の名前、和歌が書かれています。取り札には全て仮名で下の句が書かれています。「心あてに〜」と上の句を読むと、「おきまどはせる」と書かれた下の句の札を兄や姉と競って「はい！」バタンと取りました。「折らばや折らむ　初霜のおきまどはせる　白菊の花」と読み上げるのは母でした。

　そんな楽しい子供時代でしたが、今思うと厳しい事も沢山。朝起きると七輪で練炭をおこしコタツに入れ、かまどで薪を燃やしてお湯を沸かして煮炊きをしていました。子供達は皆水を汲んだり、薪を運んだり、雑巾掛けをしたり、良く働きました。あたりは今よりずっと寒く、冷えた朝は、あたり一面霜で真っ白になりました。今は都会にいたり、地球温暖化や住宅事情の変化もあり、あまり霜は見なくなりました。現在は暖房、冷房、空気清浄から換気まで、スイッチひとつで済みます。もっとびっくりは、それらは皆、時間指定や遠隔装置、音声で反応したり、昔に比べると怠け者を絵に描いたようです。

　茶の湯のお稽古の時、稽古場の茶室の床の間に「楓葉経霜紅」と書かれた掛け軸がかかっていました。お稽古の後にお師匠さまは、「楓は冷たい霜を耐えて初めて美し

竈　「よしだひさええほん」より

く紅葉するんですよ。人間もまた人生のさまざまな苦労を経験し、それを耐え凌ぐ事によって、はじめて立派な人間になれるんですよ」と繰り返し言い聞かせてくださいました。優しく素敵なお師匠さまでした。

---

# 第五十三候 （霜降中候）「霎時施」［こさめ ときどきふる］

10月28日〜11月1日頃

　七十二候が霜降の次候になり、驟雨一過、青空が広がったりする季節となりました。霎は、小雨ではなく通り雨で時雨のことです。

　秋の季節に気温が徐々に低くなっていく様子を表す言葉に「一雨一度」があります。二十四節気の「雨水」で、このころからが「三寒四温」で一雨ごとに少しずつ暖かくなってゆく時候に対して、この候は、一雨ごとに気温が下がり、冬が近づく頃という意味です。一雨ごとに気温が一度下がるので「一雨一度」です。

　『万葉集』巻第八に、大伴宿祢池主が「十月　鍾礼尓相有　黄葉乃　吹者将落　風之随〔かむなづきしぐれにあへるもみちばのふかばちりなむかぜのまにまに〕」というこの頃を詠んだ美しい歌があります。この歌は天平10年（738）10月17日に、橘奈良麻呂（たちばなのならまろ）が宴を催した時に詠んだものです。

　神無月 時雨に逢へる もみじ葉の 吹かば散りなむ 風のまにまに

　十月は、神無月、また時雨の時期なので時雨月、小雨は時雨の事です。黄葉は、もみじの葉をさします。

　平安時代の人々は、一雨ごとに降る時雨、紅葉の色を徐々に染めるものという思いがあったようです。農耕民族である日本人は、四季折々の季節の美しい言の葉を詩歌、物語、様々な生活の多彩な場面で、楽しんで来ました。特に時雨は、日本人が好んだ無常観（あらゆるものは絶えず変化しており、少しも元のまま留まることがないという仏教の考え方）をこの言葉を使って表したりして来たようです。

　この時雨をこよなく愛した俳人、松尾芭蕉の忌日は、亡くなったのが、元禄7年、陰暦の10月12日だったので「時雨忌」と呼ばれています。

観蔵院薬師堂天井絵
「紅葉と鴛鴦」　染川英輔画

旅人と我が名呼ばれん初時雨　　　芭蕉

82

新わらの出そめて早き時雨哉　　　芭蕉

初時雨猿も小蓑を欲しげなり　　　芭蕉

　そして、この秋の時雨によって真っ赤に染まったもみじ葉は、あたり一面を錦に飾り、ついには冷たい冬の風に吹かれて何処へ飛んでいきます。

　　このたびは　幣も取りあへず　手向山（たむけ）
　　紅葉（もみぢ）の錦　神のまにまに

　もみじの錦（にしき）神のまにまに…と、その姿はどこにいても美しい姿で見る人を楽しませてくれます。
　そうそう時雨といえば、大好物のしぐれ煮がありました。生姜と牛肉のしぐれ煮は、生姜をきかせて醬油ベースの煮汁で甘辛く煮ていきます。
　しぐれ煮の語源は、ハマグリの旬は初冬で、毎年旬のおいしい時期に献上されたので、「神無月、降るみ降らぬみ、定めなき、しぐれぞ冬の、初めなりけり」の古歌にちなんで、「しぐれ煮」と名付けるようになったと伝えられています。

天井絵全体コラージュ

# 第五十四候 （霜降末候）「楓蔦黄」［もみじつた きばむ］

11月2日〜6日頃

　七十二候が霜降の末候になり、紅葉した楓（かえで）の葉と蔦（つた）の葉が秋の風景を彩る季節となりました。山々や谷間、そして峰々に至るまで、かつて緑一色だった風景が、まるで錦の織物が織り込まれるかのように、黄金色に美しく染まり始めます。
　「もみじ」の語源について、株式会社もみじかえで研究所代表の本間篤史さんは、もみ

じの語源は動詞であり、着物の生地や反物を植物の色素で染め、揉みだして、それが水中に染み出す様子を「もみづ」と古くから表現していたと述べています。

　秋になると、樹木の葉が紅や黄色に美しく染まっていく様子を「もみづ」という言葉で表現したことから、紅葉した葉を総称して「もみじ」と呼ぶようになったと思われます。

　「かえで」という言葉は、葉の形がまるで蛙の手に似ていることから由来しており、元々は「かえるで」と呼ばれていたものが、時間とともに「かえで」という形に変化しました。葉の形状に基づいて命名された由来があるとされています。

　この様子は、俳句の季語では「山粧〔やまよそお〕う」です。観蔵院曼荼羅美術館の両部曼荼羅を描かれた私の師匠の染川英輔画伯（東京藝術大学首席卒業）は1300年続く日本画の伝統絵画の手ほどきのみならず、事あるごとに文学、音楽、芸術、歴史等々、ありとあらゆる分野に造形が深く、私たちは多くを学ばせていただいております。その画伯の教えの中で、中国の画家、郭熙の詩についてのお話がありました。「春山淡冶にして笑ふが如く、夏山は蒼翠にして滴るが如し。秋山は明浄にして粧ふが如く、冬山は惨淡として眠るが如く描くのが良い」でした。

　今、私が描いているのは仏画がほとんどですが、秋の紅葉、春の桜、美しい日本の四季を、懐かしい故郷の山河を、いつかそんな気持ちで描いてみたいものです。

　カナダの国旗（「メイプルリーフ旗」）は、カエデの葉を元に1965年に制定されました。その時に左上に配置されていたイギリス国旗からサトウカエデの葉に置き換えられました。このサトウカエデはカナダの美しい紅葉や樹液から作られるメープルシロップでよく知られています。

　この国旗の図柄は、カナダの厳しい自然環境と先住民の知恵を象徴しています。開拓時代の冬の間、食糧不足のなか先住民はカエデの樹液を利用して飢えをしのいだと伝えられています。そして、メープルリーフの周りの白は雪の降る様子を表現し、また、メイプルリーフの12本のとげは10州と2準州（ヌナブト準州は当時存在していなかった）とを意味しています。

冬

観蔵院境内

# 第五十五候 (立冬初候)「山茶始開」[つばき はじめてひらく]

七十二候が立冬の初候になり、山茶花の花が咲き始める頃となりました。

ここで言う山茶は、椿ではなく、ツバキ科の「山茶花」のことを指しています。

フリー百科事典『ウィキペディア (Wikipedia)』によると、

『山茶花』は中国語でツバキ類一般を指す山茶に由来し、サザンカの名は山茶花の本来の読みである「サンサカ」が訛ったものといわれる。もとは「さんざか」と言ったが、音位転換した現在の読みが定着した。

とあります。

観蔵院薬師堂天井絵に山茶花があります。別に「椿」もあります。この椿の種類は「のりこぼし」です。

この時期になると、山茶花も椿もクリスマスローズやツワブキと一緒に、冬枯れの落ち葉に埋まった観蔵院の境内にひっそりと咲いています。椿と山茶花はよく似ているのですが、椿は花のまま散り、山茶花は花びらとなって散るので、直ぐにわかります。椿はその散る姿が、不吉な姿を連想するので、武士達から嫌われて、家紋には使われなかったようです。そのような理由で庭に咲いているにも関わらず、仏花には使わない方が良いと言い聞かされて育ちました。しかし、椿は江戸時代には茶道、華道の発達に伴い、参勤交代の折に、将軍家に献上したため、地方の大名によって、品種改良が競って行なわれたようです。そのため当時は200種類の椿が存在したようです。特に千利休は「茶花10選」に椿を選びました。秀吉との有名なエピソードもあります。その後も品種改良は、さらに進み、現在は1500種の椿が存在しているようです。観蔵院境内にも珍しい「大神楽」「源平」などが咲いておりますが、私が最も好きなのは春先にご本堂の参道脇に咲く山椿です。この花が散ると緋毛氈を敷き詰めたようです。そこに朝日が差し込むと息をのむほどの美しさで、その緋色はお腹の底まで染み渡り、パワーが漲ります。

一方、本題の山茶花は、歴史的には椿ほど脚光を浴びませんでしたが、山茶花の宿、山茶花の湯、童謡などに登場しています。

傑作は2018年冬季平昌オリンピック・パラリンピックのNHK放送テーマソング、SEKAI NO OWARI「サザンカ」です。山茶花の花ことばは、「ひたむきさ」「困難に打ち勝つ」です。リアルサンド検索によると「Fukaseの歌声が前面に押し出されている。スポーツだけでなく、受験や就職活動など新たな道へ進むための努力を積んでいる人たちもきっと勇気づけられることだろう。Fukaseと神木隆之介が兄弟役を演じたMVのストーリーも胸を熱くさせる」と…。観蔵院境内の山茶花も、寒い冬、雪が降っても寒さに負けず、ひっそりと庭の隅に咲いております。音楽はクラッシック派ですが、この歌は、お腹の底に涙が滴るほど素晴らしい歌です。機会があったらYouTubeで、聞いてみてください。

特に元気をとりもどしたい時にお勧めです。

　そういえば、旧暦の10月10日（11月15日ごろ）は「十日夜」でした。子供の頃、あたりが暗くなると周りの農家の子供達がわら鉄砲で地面を叩いていました。「とおかんや！　とおかんや！　とおかんやのわらでっぽう！」稲刈りが無事に終わり、その年の収穫に感謝をするとともに来年の豊作を願って、土の中のモグラやネズミを追い払い大地の神様を元気づける行事です。本当は大きなおはぎを作ってお供えをしたようですが、戦後、間もない時でしたので質素なものでした。間も無くご近所の農家はなくなり、思いっきり凧揚げをした懐かしい田園風景も住宅地へと変わりました。

絵本「とおかんや」より
よしだひさえ（91歳）

# 第五十六候（立冬中候）「地始凍」［ちはじめてこおる］

11月12日〜16日頃

　七十二候が立冬の次候になり、地中の水分が寒さで凍り始める頃となりました。

　日ごとに寒さが増し、本格的な冬の訪れを朝夕はっきり感じる季節です。

　第五十二候で書いた「霜始降［しも　はじめてふる］」の霜は、降りるでしたが、地面が凍ると中の水分は氷の柱となります。それが「霜柱」です。この場合、霜柱が立つ、生じるなどと言います。

　霜柱は湿気のある柔軟な土質に生じます。子供の頃（70年以上前）は、舗装もされていなかったので、冬になると嫌でも霜柱を踏んで幼稚園、小学校の登下校、広場や境内で遊んでいました。凍っている時はサクサクと良いのですが、氷が溶けるとぬかるみになって大変でした。こんな歌を歌いながら…

　　「霜柱」　野口雨情
　　　　　　　作曲　本居長世
　　ザック　ザック
　　ふんだ
　　ふんだ

しもばしら

すずめに
ふませて　あそばせよう

ふんだ　ふんだ
ザック
ザック
しもばしら
すずめも
ふみふみ　あそんでる

　観蔵院の境内は土があるので霜柱は立つのですが、地球温暖化と周りの舗装化で昔のようには見なくなりました。
　霜柱ができるには条件があるようです。霜柱ができる頃はつららもできました。
　この時期にできる自然現象で氷柱があります。氷柱は霜柱と違って地上の建物の軒下や岩場などから棒状に伸びた氷のことで、上から垂れて来た水滴が寒さで氷ったものです。つるつるとして光沢がありそれを「つらつら」と呼んでいるうちに「つらら」になったようです。上から下に向かって先が尖っています。

サンクトペテルブルク

　十数年前、ネパール関係の仕事でサンクトペテルブルグへ行きました。2月下旬でそろそろ雪解けの頃でしたので、1メートルもあるつららが通りの建物にずらり、標識に頭上注意！上から落ちて来て亡くなった人がいたとか……。
　日本では氷瀑の観光名所がたくさんあるけど、つららが落ちた話は聞いた事がありません。
　ところ変わればアクシデントも変わるんですね。

# 第五十七候 （立冬末候）「金盞香」〔きんせんか さく〕

11月17日～21日頃

　七十二候が立冬の末候になり、境内のあちらこちらに水仙の花が咲く頃となりました。

　金盞香とは、金盞銀台という別名の 「水仙」のことです。中央の黄色い部分が黄金の杯で、下に広がる白い花弁が銀色の台を意味しています。

　観蔵院薬師堂（平成4年）の天井絵55枚は、観蔵院仏画教室の生徒さんの寄贈によるもので、染川英輔画伯の厳しい厳しいご指導のもと、2年近くの歳月をかけて完成した渾身の作です。その中の一枚に水仙があります。この絵を描かれたのは福井県出身の井上睦子様です。天井絵のお話が出た折、真っ先に水仙をと自

観蔵院薬師堂　天井絵「水仙」
井上睦子画

ら選ばれました。その理由は、水仙は福井県の県花で、幼少の頃から水仙の花が群生しているのを見て育ったので、という事でした。水仙は別名を雪中花とも言われ、日本海のきびしい風雪に耐えぬいて寒中に咲くこの花の忍耐強さは、福井県の県民性に通ずるということで、この花が県花に選ばれたのだそうです。

　水仙は茶花やお正月の花として人気がありますが、水仙の根には強い毒性があります。そのため古くから生薬として使われてきました。

　学名のNarcissusはギリシャ神話の美少年の名前Narcissusナルキッソスから来ています。水に写った自分の美しい姿にうっとりして自分に恋した……。有名なお話です。

　和名の「スイセン」は中国名の「水仙」に由来します。別名は日本水仙〔ニホンズイセン〕、雪中花〔セッチュウカ〕、雅客〔ガカク〕、英名はgrand emperor等々。イギリスの大詩人ワーズワースも、「daffodils」という詩を書いています。

# 第五十八候 （小雪初候）「虹蔵不見」〔にじかくれてみえず〕

11月22日～26日頃

　七十二候が小雪の初候になり、この頃になると虹を見かけなくなります。

　この候は、清明の第十五候、末侯「虹始見 [にじ はじめてあらわる]」と対になっています。

境内からの虹

虹は、通常太陽を背にして反対側に球状の水滴が無数に発生すれば、白色光が屈折して光は七色に変わります。実はこの条件があれば虹を作る事が出来ます。季語に「冬の虹」があるように冬でも虹は見られるのです。ただし、夏の日差しより日の光が弱いため、夏のようにくっきりした虹ではなく、ぼんやりと弱々しい淡い虹で、それも長くは見る事が出来ません。すぐに消えてしまうからです。

「にじ かくれてみえず」は、11月26日を過ぎると、雨は雪に代わり、水と関係の深い虹はあまり見なくなるという事でしょうか？ 特にこの頃（晩秋〜初冬）生ずる虹は、不意に雨が降ったり止んだりする時雨のときに現れる冬の虹です。そのため「時雨虹」という素敵な名前がついています。

この冬の寒空に一瞬見える儚く美しい虹を歌った歌があったのを今回初めて知りました。作詞・作曲　辻仁成の「死にきれず生きています……」という歌です。

そろそろ寒い北風の吹く頃です。観蔵院の境内も秋色一色になり、落ち葉掃除で明け暮れる日がしばらく続きます。

# 第五十九候（小雪中候）「朔風払葉」〔きたかぜ このはをはらう〕

11月27日〜12月1日頃

七十二候が小雪の次候になり、観蔵院の境内も冷たい北風が、木の葉を散らす頃となりました。

私の生まれた隣の群馬県高崎市出身の詩人に萩原朔太郎がいます。代表作は「青猫」「月に吠える」「純情小曲集」「氷島」などです。

子供の頃に「萩原朔太郎は1日生まれだよ」と母から聞いていました。なるほど、今調べると、萩原朔太郎は明治19年（1886）11月1日生まれでした。

「朔」の言葉は中国の「朔を奉ずる」の故事に由来しています。これは天子が歳末に「天子の政令」として翌年の暦を与えたことから来ています。

陰暦の月の第一日。ついたち。新月。朔日・朔月・朔望・朔旦・元朔・正朔・八朔・告朔」など全て始まりを意味した言葉です。

方角も、北の方角を朔と呼ぶのは、1番はじめの「子」の方角が北を指しているからで

す。従って朔風は、北の方角から吹いてくる北風のことで、木枯しの事です。

　朔風は、北風。第一候では東風は「こち」と読みました。南風は「はえ」。東南風は「いなさ」と読みます。

　西風は、単独の読み方はなぜかありません。しかし陰暦2月15日の涅槃会（釈迦入滅の日の法会）のころに吹く風は、涅槃西風と言われています。この頃になると、観蔵院は毎日落ち葉との戦いです。庭掃きは重労働です。健康のためには楽しく労働をすれば喜びとなり、ヒポクラテスの言う「運動は薬」となります。大変だと思うとストレスになり、病気〔きのやまい〕に好かれるかもしれません。

　40年前、お世話になった本寺の三寶寺からここへ移って来た時は、落ち葉を集めて近所の子供達と一緒に焼き芋を作りました。熱々の焼き芋をほっぺを赤くして美味しく食べました。しかし周りの畑や竹やぶ、農家がどんどんなくなりマンションや建売住宅ができると、「洗濯物が汚れる。ダイオキシンが発生する」という環境問題が起こり、焚き火は出来なくなりました。「垣根の垣根の曲がり角、焚き火だ焚き火だ落葉焚き…」の歌は、遠く懐かしい光景になりました。

　またこの時期は、よく夜中に「え？　雨？」と目が覚めます。

焚き火　『おもいでえほん』よしだひさえ

# 第六十候 （小雪末候）「橘始黄」〔たちばなはじめてきばむ〕

12月2日～6日頃

　七十二候が小雪の末候になり、柑橘類の実が黄色く色づき始める頃となりました。

　今や大人気の柑橘類。古くから「不老長寿」「不老不死」の象徴とされ、『古事記』や『日本書紀』にはタチバナの名で記載があります。

　『日本書紀』によると、西暦61年、病弱だった垂仁天皇は、田道間守を常世国につかわして、不老不死の薬「非時の香の木の実（橘）」を求めさせたとあり、田道間守は10年後、橘を入手して持ち帰ると、天皇はすでに崩御されていました。そこでその橘を天皇の御廟の側に植え、嘆き悲しんで亡くなったようです。

　その故事から、京都御所や皇室系神社の本殿には、その右側にタチバナ、左側にサクラが必ず植えられるようになったそうです。

右近の橘　左近の桜

境内の柑橘類

　子供の頃、三月三日の「桃の節句」の雛段飾りの折、神殿のお飾りの桜と橘を右か左か迷う時、母はいつも「右近の橘、左近の桜と、昔から決められていた」と迷いなく飾っていました。今お飾りをする度に右近の橘、左近の桜は向かって？いや違う、といつも迷ってしまいます。そこで、平安神宮をネットでみると、向かって左に大きな橘、右に立派な桜が植えられていました。

　また、その故事から、橘はずっと今日に至るまで天皇家との関わりが深く、科学技術や芸術などの文化の発展や向上にめざましい功績を挙げた人たちに授与される文化勲章のデザインに昭和天皇の意向により橘の花、葉、実が使われています。橘は常緑樹で葉が一年中枯れる事がないため、「文化は散ることがない」という永劫悠久性の理由から、定められたようです。

　また、「春は花　夏は橘　秋は菊〜」と中世の『御伽草子』では歌われて、興味深い諸説が伝えられています。

　その橘をルーツとして現在は時代とともに品種改良がなされ、150種以上の柑橘類が存在しているようです。観蔵院境内にも数種類の柑橘が実り、冬の殺風景な境内に彩りを添えています。マーマレードやゆうげの彩りにも助けられています。

# 第六十一候（大雪初候）「閉塞成冬」〔そら さむく ふゆとなる〕

12月7日〜11日頃

　七十二候が大雪の初候になり、どんよりと広がる重い空に万物が塞がれ、本格的な冬到来の頃となりました。

　観蔵院の境内もこの時期は落ち葉との戦いが本格的になります。特に練馬区の木がケヤキなので、ここにも数本の大木が他の広葉落葉樹と合わせて沢山あります。これらの落ち葉は、大風が吹くと中庭の植え込みの土が全部覆われて、茶室の趣が一変するくらいで半端ではありません。しかしあたり一面を百花繚乱と色づいたと思うと、冬枯れの木の葉の散るこの風情は日

のりこぼし　黒川元子画

本人にとって、もののあわれや無常を感じて人の一生を、春の桜も、夏に木陰で涼ませてくれた緑の木々も、山裾を彩ったもみちも、最後にはみな美しく散りさってしまいます。そこで落葉しない松や橘が常盤木として神聖視され、橘、松、竹がおめでたい不老長寿を意味するようになりました。日本の四季は世界でも美しいと定評があります。この美しい四季がなかったら日本人の古からの自然観も違っていたことでしょう……そんなことを考えながら、日増しに増えてくる落ち葉を眺めているところですが……

　しかし、何と言ってもこの頃の境内は春の賑わいと違って、植え込みの隅に咲く石蕗の花、山茶花、寒椿などが、寒さにも耐えて咲いている姿は、「堪忍土」に咲く花として私たちを勇気づけてくれます。

　観蔵院薬師堂の天井絵に「椿」の絵がいくつかあります。その中の一つに黒川元子画の「のりこぼし」があります。のりこぼしは、「お水取り」のおり、修行僧たちが自ら作る椿の造花の名前です。前候でも「お水取り」「修二会」については記しましたが、この造花は私がお水取りの紙手を揮毫させていただいているご縁で、長野県茅野市からの修行僧の方から頂きました。

　この行事は二月堂の本尊、十一面観音菩薩の悔過と世界平和と人々の幸せを祈る法要として、天平勝宝4年（752）から現在まで途切れることなく続けられている行事です。

# 第六十二候（大雪中候）「熊蟄穴」［くま あなにこもる］

12月12日〜15日頃

山

七十二候が大雪の中候に変わり、クマをはじめ、生き物たちが冬ごもりをする頃となりました。

山登りをしていると、入り口に「まむし、熊にご注意ください」と書いてある看板をよく見かけます。この時期になると熊も蛇も越冬のため出てこなくなるので、私は寒くても11月から3月までの山行きが、一番好きです。知人は沢登りをしていた時、水辺に可愛い子犬がいたので、おや？と、思ったら熊の子供だったので、慌てたと…。

最近、地球温暖化で、熊も冬ごもりをするための餌がなくなり、人里に降りてくるようになったと、時々ニュースで見るようになりました。

以前　NHKの「ラジオ深夜便」で聴いたことがあります。森の野生動物が森林の荒廃によってこれまで生きてきた場所がなくなり、クマが人里に降りて来て人々に害をくわえるようになったと……その現象だけ見ると「クマが人の方に寄ってきた」と見えるかもしれません。しかし実際は、クマは奥山開発や人工林によって本来の生息地を私たち人間によって奪われてしまった被害者なのだと。本当に私もそう思いました。そして、クマが以前のように人里にお降りてこない生活ができる環境こそ大切なのですと言っていました。

私たち山好きが、いつも安心して山登りができる環境であって欲しいです。

マムシは？　ダメですね？

この頃の行事で1月11日に行われる「鏡開き」（かがみびらき）があります。

鏡開きは鏡割り（かがみわり）というように、正月に神仏に供えた鏡餅を下げて、無病息災などを祈って食べる古くからの行事です。鏡は円満であり、開くは福が末広がりにもたらされる意味です。供えられた餅を食べる。鏡餅は乾燥し堅くなっているので、汁粉・雑煮やかき餅（あられ）などに調理して食されることが多く、昔は保存食として乾燥させたお餅を缶に入れたり水餅にしました。

鏡開き　よしだひさえ（91歳）画
『おもいで絵本』

# 第六十三候 （大雪末候）「鱖魚群」〔さけのうお むらがる〕

12月16日〜20日頃

　七十二候が大雪の末候になり、鮭が産卵のため群れをなして川を遡上する頃となりました。

　川の上流で生まれた稚魚は、数年をかけて産卵のために、自分の生まれた川へと戻ってきます。

　「鱖」は音読みで「ケイ、ケツ」と読み、「鱖魚」ケッギョは、スズキ目スズキ科に分類される高級魚で、中国大陸東部に生息する淡水魚です。鮭に似てますが「鮭」サケは、サケ目サケ科で別の魚です。中国の暦が日本に入ってきたとき、鮭と鱖魚が同じように水の中を群れて泳ぐので、「鱖魚」の代わりに、「鮭」を充てたようです。

　言い伝えによると、清の乾隆帝が江南（現在の上海、杭州、紹興、蘇州、鎮江他）に下ったとき、中国蘇州に今でも伝えられている「松鼠鱖魚」ソンシュ-グイユ-と言う酸と甘さが調和した料理を食べて感激、その味を大絶賛しました。その後蘇州ではその料理を料理人たちが絶え間なく改良して、現在では味よし、色良し、香良し、形良し、音良しと、五感に叶う世界に誇る蘇州料理として知られています、

　子供の頃、戦後の食糧難で、多くの人は川で魚を釣ったり、イナゴや、タニシ、どじょうを食べていました。ご近所に釣り好きで上手な人がいて、時々利根川で釣った大きな鯉に似た魚を持って来てくれました。何故か母はその魚を一度も調理したことがありません。夜が更けると父と兄が自転車で20分くらいの所にある、元その魚が住んでいた利根川の坂東大橋（昔の橋は簡単な橋でした）の上から放していたのです。

　家に帰ってくると父が兄に、「気持ちがよかったな〜」と言って嬉しそうでした。

　その魚も蘇州の料理人の手にかかったら故郷の名物料理になっていたのでしょうか？

　それにしても、中国蘇州の「松鼠鱖魚」ソンシュ-グイユ-は、いつか本場で食べてみたいものです。

# 第六十四候 （冬至初候）「乃東生」〔なつかれくさ しょうず〕

12月21日〜25日頃

　七十二候が冬至の初候になり、乃東が芽を出し始める頃となりました。今回の候は、夏〜夏至〜初候　第二十八候「乃東枯〔なつかれくさかるる〕」6月21日〜25日頃と対になっています。

冬至

寒さはいよいよ本格的になり、今年もあとわずかとなりました。

冬至は一年で昼が最も短い日です。私の大好きな秋の夜長の始まりです。

古くから中国では故事に因んで、冬至を「一陽来復」と呼び、悪い事が続いた後で幸運に向かう事、すなわち陰気が極まった後に、冬至を迎えて一気に陽気に向かう事を意味しました。

子供の頃から冬至には、ゆず湯（冬至風呂）に必ず入りました。庭から採ってきた柚子が、木綿の袋に入っていた記憶があります。今はそのままぼんと浴槽に入れてあります。そして柚子に包まれながら入ります。体が芯から温まり、柚子の香りに包まれて、日本の文化の素晴らしさを再認識。日本人で良かったとしみじみ思う瞬間です。

またこの日は、冬至の「と」に因んで、「と」の付く食べ物を、地方によって色々な物を食べる習慣があるようです。

私の育った関東地方では「唐茄子」「冬瓜（かぼちゃの古名）」を食べるのが一般的です。その他、豆腐、どじょう、唐辛子、冬至がゆ（小豆粥）、などのほか、「と」にはこだわらず、いとこ煮、コンニャクなどを食べる所もあるようです。

---

# 第六十五候（冬至中候）「麋角解」［さわしかのつの おつる］

12月26日～30日頃

七十二候が冬至の次候になり、オス鹿の角が落ちる頃となりました。

普通、野生の鹿の角が自然に脱落するのは毎年3月頃です。そして奈良公園での実際の角切りは毎年10月の第二日曜日と決められているようです。この国の天然記念物に指定されている野生動物の雄鹿の角切りの行事は、発情期を迎えた雄鹿が人に害を加えたり鹿同士が傷つかないために、自然に落ちるより早く切ります。従ってこの候で取り上げると、時期的にずれがあります。実際に角が自然に落ちるのは3月ごろで、角切りは10月、この候は12月と認識してお読みください。

東大寺参道の土産店やその近辺のお店では鹿の餌が売られていて、それを手に取って直

接餌を与えている観光客で溢れています。小さな子供は、鹿のフンと言われてそっくりなその餌に鼻をつけて匂いを嗅いでいる微笑ましい光景にも出会えます。ここでの鹿は国の天然記念物に指定されている野生動物で、所有者はいません。近くに春日大社があります。御本殿では現在、国家・国民の平和と繁栄を祈る祭が年間2200回以上斎行されています。

　数年前、我が背、小峰彌彦が伊勢神宮で講演を頼まれた時、講演の前日に伊勢神宮の宮司様が自らご案内をしてくださいました。五十鈴川に架かる宇治橋を渡ると、「白鹿」という大きな樽酒が何十も飾られていました。伊勢神宮においては、毎日御前に供えられる「御料酒」と呼んでいるお酒、白鹿があります。この白鹿が全国に数多くある清酒の中で唯一御料酒として選ばれた銘柄なんだとのご説明を頂きました。

伊勢神宮

---

# 第六十六候 （冬至末候）「雪下出麦」［ゆきわたりて むぎのびる］

12月31日〜1月4日頃

　七十二候が冬至の末候になり、降り積もる冷たい雪の下、麦が芽を出す頃となりました。

　麦は越年草で、寒さに強いため世界で最も多く栽培されている穀物です。秋に種蒔きをすると、翌年の初夏には収穫することができます。地面が雪で覆われていても、麦の芽は寒さにも負けずじっと暖かい春を待っています。地表が暖かくなるのをじっと待って、温かさを感じ取るとゆっくりと芽吹き、その後すくすくと育ちます。6月には、麦畑は黄金色に染まり、いよいよ収

お正月のしつらえ

穫のときを迎えます。

麦の種類は大変多く、小麦・大麦・ライ麦・燕麦がその代表です。いずれも中央アジアを中心としたイネ科の穀物です。小麦粉は世界各地で、地域ごとにさまざまな形に姿を変えて食べられています。無発酵パン、発酵パン、そして麺の形態があります。

日本では、他では見られない独特の風習があります。子供の頃よく見かけた情景の麦踏みです。これは、霜柱による土壌の浮きを防いで根の張りを良くするためと、麦が均一に伸びるためにする作業です。

観蔵院では、昔から本寺の三寶寺から伝授された手打ちうどんを作る習慣がありました。地粉を使っての本格手打ちうどんです。一年を通して水の量が変わります。それは例えば夏と冬では温度が違うため、発酵の仕方が変わるためです。もっとも今は暑ければ冷房、寒ければ暖房なので温度はあまり関係なくなりました。

私がNGO活動で支援しているネパールにも、チャパティ、ナン、モモなどの美味しい料理があります。前回NGO活動でネパールへ行った時、ロク・チトラカール先生のお家を訪問しました。奥様とご親戚の方と一緒にモモを作りました。モモはネパールの代表的な食べ物で、毎日食べる人もいるくらいの国民食です。どこの家庭でも粉から簡単に作っています。私も手伝いました。ギョーザを食べる時と同じで、タレをつけて食べます。すご〜く美味しいです。その他にチャパティ、ナン、ブーリーなどがあります。

## 第六十七候（小寒初候）「芹乃栄」〔せり すなわちさかう〕

1月5日〜9日頃

七十二候が小寒の初候になり、春の七草の一つ、芹が冷たい畦道や水辺で、盛んに茂る頃となりました。

いよいよ寒さが本格的になります。小寒の「寒の入り」から、七十二候の大寒の末候までの30日を「寒の内」といいます。寒が明けると立春になります。

「寒の内」に行われる京都大原の風物詩に「寒行」があります。寒行は厳寒のさなか、その寒苦を忍んで坐禅・托鉢・誦経・念仏・題目などの修行を行うことですが、宗派によってその内容は違います。あえて厳冬にするのは、如何なる障害も乗り越える功徳が施されると信仰されていたことによります。京都大原の三千院で行われている、無病息災を祈る「托鉢寒行」は長い歴史があります。

春の七草は、子供の頃母が事あるごとに口ずさんでいたので、良く覚えています。
芹・薺・御形・繁縷・仏の座・菘・蘿蔔これぞ春の七草。

そして1月6日の夜になると、庭で摘んできた七草をまな板の上に並べて、包丁を持って「七草なずな　唐土の鳥が　日本の国に　渡らぬ先に　ストトントン　ストトントン」と刻んでいました。

朝になると、七草が入れられた白いおかゆが用意されていました。

七草がゆ

芹は日本原産の多年草で、湿地や、畦道、沢や河川の水ぎわなどに群れて繁殖しています。『日本書紀』や『万葉集』にもその名が登場していることから、古くから私たち日本人と親しみのあった植物だったことが分かります。

芹はまた、生薬として「すいきん」と呼ばれています。茎葉を乾燥させ煎剤とします。葉、茎を新鮮な状態で食べるか青汁として飲むと食欲増進、健胃薬に、さっとゆでてお浸しなどにして食べると黄疸、解熱、神経痛、リューマチ、酒毒を消すのに良いと言われています。

芹とよく似たドクゼリがあります。こちらは根茎が太く緑色で節が多くタケノコ状である点で区別することができます。子供の頃は良く毒キノコやドクゼリを間違えて食べて中毒になったり、亡くなったり、笑い茸を食べて笑いが止まらなくなった話を聞きました。今は早稲田大学本庄高等学院になっていますが、そこは私のテリトリーでした。忍野八海を思わせる小さな湧水池がありました。その周りには色々な草花が群生していました。今は新幹線も通って様子が全く変わってしまいました。あの場所は広い本庄高等学院のどの辺りだったのかと懐かしく思うことがあります。

# 第六十八候（小寒中候）「水泉動」〔しみず あたたかをふくむ〕

1月10日〜14日頃

七十二候が小寒の次候になり、地面の下で凍っていた泉が少しずつ融け動き始める頃となりました。

寒の入りになり、いよいよ本格的な寒さに突入です。あってはならない戦争で、光熱費がグンと上がりました。広い建物があるので暖房、その他この時期は光熱費がかさみます。

この候を見ると、自然界では目には見えませんが、少しずつ春に向かって変化が訪れて

いるようです。

　子供の頃、母と歌った歌があります。

　　　春よ来い　早く来い
　　　あるきはじめた　みいちゃんが
　　　赤い鼻緒の　じょじょはいて
　　　おんもへ出たいと　待っている

　　　春よ来い　早く来い
　　　おうちのまえの　桃の木の
　　　つぼみもみんな　ふくらんで
　　　はよ咲きたいと　待っている

春よ来い　『おもいでのうた』よしだひさえ

　このうたのモデルは、作詞者・相馬御風（そうまぎょふう）(1883-1950) の長女「文子（ふみこ）」とされています。相馬御風は、新潟県出身なので、この歌には春が早く訪れるようにという、願いをこめていたのかもしれません。

　ひなたぼっこ、綿入れ半纏、練炭こたつ、湯たんぽ、煮込みうどん、かいろ、あんか、ももひき、たび……懐かしい子達です。

---

# 第六十九候（小寒末候）「雉初雊」〔きじ はじめてなく〕

1月15日〜19日頃

　七十二候が小寒の末候になり、雉の雄が甲高い声で鳴き雌への求愛を始める頃となりました。

　七十二候も大寒の三候を残すのみとなりました。この候では、寒さにてながらじっと待っている、すぐそこまで来ている春への待ちどおしい気持ちを扱っています。初候では、植物の春の七草の芹を、中候では、自然界を表す凍った地面が溶け始める泉を、最後の末候では、鳥を、すなわち日本の国鳥である雉の繁殖について取り上げています。

　雉ですぐ思い浮かべるのは、子供の頃から聞き親しんできた「桃太郎」のおとぎ話です。桃太郎の桃は中国の絵画に吉祥の絵としてよく見かけます。また道教では桃は不老長寿の薬として古代から親しまれてきました。桃太郎は桃でなければなりませんでした。梅太郎、柿太郎ではダメだったのです。そして雉は桃太郎の話の中では予知能力を備えた鳥として

の役割をになっています。雉は神の使いとして古事記や日本書記に登場しています。その予知能力が優れているため現在は防衛省の情報本部のシンボルマークやエンブレムにも使われています。鳳凰、鷲、鷹、白鳥では理由がつかなかったのです。

「けんもほろろ」、「雉の草隠れ」、「雉も鳴かずば撃たれまい」、「頭隠して尻隠さず」、「焼け野の雉、夜の鶴」等々。雉に由来する興味深い諺や慣用句が沢山あります。

小豆粥

# 第七十候（大寒初候）「款冬華」[ふきのはな さく]

1月20日～24日頃

七十二候が大寒の初候になり、凍てつく土の中からふきのとうが、顔を出し始める頃となりました。

万葉の昔から蕗は若菜、春菜と言われていますが、春の七草には入っていません。明治の頃、蕗は冬の七草として「款冬の薹（ふきのとう）」「福寿草」「節分草」「雪割草」「寒葵」「寒菊」「水仙」が登録されたようです。

蕗は姿形も春を連想させる春菜です。春一番を告げる春の使者でもあります。

観蔵院の境内でも、春になると蕗が芽を出します。普段はあまり行かないところなので、忙しくしていると、黄色い花芽（ふきのとう）は、あっという間に薹が立ってしまい、柔らかい花芽をお味噌で食べる楽しみは失われます。しかし、蕗味噌や天ぷらにすると、また格別です。自然界では冬ごもりをしていた熊が初めて口にするのが蕗の薹なのだとか？ ミネラルや食物繊維が豊富で、あのほろ苦い香り成分には健胃や新陳代謝を助ける成分が含まれているとのことです。

我が家では蕗の頃になるとご近所のお檀家さんも沢山御本尊さまにとお庭の蕗を摘んで来てくださいます。蕗だけではありません。練馬大根、キャベツ、里芋、青菜、最近はスイカの栽培を始めたのだと、大きな美味しいスイカをお供えしてくださる農家の方も……ありがいことです。

しかし、蕗は発がん性があるので多食や常食は避

蕗

けるべきという意見もあります。このシーズンだけはそんな事忘れて美味しくいただきたいものです。

# 第七十一候 （大寒中候）「水沢腹堅」〔さわみず こおりつめる〕

1月25日〜29日頃

七十二候が大寒の次候になり、厳しい寒さで流れていた沢の水さえも凍る頃となりました。

沢の水が凍ると聞くと、荒川の湧水が自然に凍った奥秩父の「三代氷柱」が有名です。私はまだ行った事がないのですが、行った人は皆感動していました。秩父の荒川の湧水が自然に凍ったもので、ライトアップもしているようです。岩肌にしみでる湧水が創り上げる高さ約8m、幅約30mにもなる大規模な氷のオブジェだそうです。寒さによって毎年形が変わるのも興味ふかいです。

東京に来てから（60年以上前の事です）は、昔のように外で年齢を問わず遊ぶ光景は一度も見たことがないのですが、私の育った田舎では、この寒い時期になると「押し競饅頭」という遊びをしていました。

大きな子も小さな子も背中合わせになって、円陣を組みそこで一斉に「押しくら饅頭押されて泣くな　あんまり押すとあんこが出るぞ　あんこが出たら　つまんで食べろ　押しくら饅頭押されて泣くな」です。子供たちの顔は、空っ風に吹かれて皆りんごのほっぺです。足はたびに下駄だったかもしれません。押されて外に押し出されないよう一生懸命背中を中へ中へと押し込みます。体がポカポカ汗ばむくらい暖かくなります。大寒の頃の懐かしい遊びです。暖かくなると同時に押し競饅頭もゴム段とびや石蹴りゲームに代わり、春はもうすぐそこです。地球温暖化と家屋の近代化、近代的システムが取り込まれた「ゲーム」などで、子供たちの置かれる環境の変化で今や外で子供たちが遊ぶ光景は、あまり見られなくなりました。

『おもいでえほん』よしだひさえ画より

# 第七十二候（大寒末候）「鶏始乳」〔にわとり はじめてとやにつく〕

　七十二候が大寒の末候になり、鶏が春の気配を感じ卵を産むためにとやにつく頃となりました。

　中学時代、私は演劇部に所属していました。劇に関して、音楽、舞台、衣装などに詳しい、素晴らしい先生が顧問でした。その先生は事あるごとにいろいろな興味ある話をしてくださいました。その中に『日本書紀』に登場する天鈿女命の話がありました。天鈿女命は「岩戸隠れ」の伝説などに登場する芸能の女神で、日本最古の踊り子と言われています。「天照大神」が岩屋戸に隠れて世の中が真っ暗になってしまった時、皆困ってしまいました。そこで岩屋戸に外でどんちゃん騒ぎをしたそうです。その時音楽に合わせて胸をあらわに踊りを踊ったのが天鈿女命で、その大騒ぎを聞いて「天照大神」は顔を見せたとのこと、その踊りが当時巷で流行っていたストリップの起源なんだとお話ししてくださいました。一方、この時太陽の神様である天照大御神に早く出てきて欲しくて、八百万の神様が知恵を絞った結果、「常世の長鳴鳥」と言われているニワトリが一列に並んで、その長い美声で泣くと、天照大御神は顔を出しました。以後ニワトリは神の使いとなり、日本中の鳥居はその神の使いのニワトリが休める場所としてあるのだそうです。何故か両方とも頷ける話です。

ニワトリ

　40数年前、観蔵院でもニワトリを飼っていました。神様のお使いとしてではなく新鮮な卵を食べるため……。しかし朝早くから鳴くので、ご近所から安眠妨害という事で手放してしまいました。しかし、働き者の酉年の誰かさんがいるので、本当に感謝です。

　また本寺三寶寺にも酉年の方がいらして、こちらは私たちにとっては神さま（いやほとけさま）みたいなお方です。おかげさまで今日があります。そう言えば私の父も酉年でした。今、気が付きました。不思議です。酉年は凄い！

　ちなみに酉年の守り本尊はお不動さま……。私は未年で、守り本尊は大日如来です。お不動さまは大日如来の眷属で、お使いです。申し訳ない事です。しかしこの事実だけは変えられません。

## 「深海の魚類の如く自ら光を放つ」—— あとがきにかえて

　この言葉は、私の中学校の卒業式の時、校長先生が門出をする私たち生徒への贈る言葉でした。

　私は、生まれた時から父親が町の市会議員、PTA会長、民生委員、調停委員（?）などをしていました。ですからその頃の私には親の七光りは相当ありました。小学校では校長室で遊んでいたり、美術の先生が私をモデルにしたり、声もよくないのに合唱コンクールに出たり、どこへ行ってもチヤホヤされていました。鼻持ちならない嫌な子供だったかもしれません。

　そんな時、卒業式で「深海の魚類の如く自ら光を放つ」……この言葉を聞いたのです。この言葉は校長先生が私に言って下さったのだと心に重く受け止めました。

　そして、この言葉は私の今日80歳になるまで、座右の銘として私の宝箱の中に入っています。

　この度、私のFacebookを見て下さった青史出版の渡辺清様からのご依頼で、本書を出版することになりました。勿体無い話です。その後タイトルを検討するときに、多くの方のご提案をいただきました。どれもみな捨てがたく素晴らしいお言葉だったのですが、自分で説明の出来ないお言葉は除きました。そこで残ったのは「一陽来福」でした。福は本来は復ですが、観音経の「福聚海無量」という言葉を重ね合わせてこうしました。「福が聚まること海の如く無量なり」という事ですが、一陽来復（冬至）は、寒い冬も必ず春が来ることなので、観音経の言葉と結びつけました。

　良い行いをすれば現在・未来に幸福をもたらします。善業を積めば福徳・智徳が海のように大きく広がります。たとえば突然に不幸に見舞われたとします。それをどう受け止めるかは誰でもない私自身、あなた自身なのです。それが「深海の魚類の如く自ら光を放つ」なのです。そして忘れてはならないのは深海の魚類も栄養豊かな海水がありそのおかげで生かされているのです。

　おかげさまで今日私たちがここまで来られたのは、大海原の豊かな海水の中で泳ぐがごとく、大勢の方がことあるごとにお力添えを下さったからなのだと、只々感謝あるのみです。明日も良い日でありますように……世界が平和でありますように祈ります。　　　　　　　　　　　　　　　　合掌

小峰和子

## 小峰和子 プロフィール

昭和18年（1943）埼玉県本庄市生まれ。仏画家。夫は仏教学者の小峰彌彦（元大正大学学長）
1981年より現代仏画の第一人者染川英輔画伯に師事し、助手を務める。
現在、東京練馬の慈雲山観蔵院併設の曼荼羅美術館館長、大正大学オープンカレッジ講師、よみうりカルチャー錦糸町講師、寶蓮寺（亀戸）仏画教室主幹。
1986年より奈良東大寺お水取り「紙手（こうで）」揮毫。
1987年より奈良唐招提寺「梵網会」うちわ絵揮毫。
1998年　河口慧海の足跡を訪ねて単身ネパール・ムスタンへスケッチ旅行。
1999年からはNGO活動としてネパールの小学校で子供たちの支援活動などを行う。
2005年日本・EU市民交流年記念事業（外務省・文化庁後援）に、日本文化の紹介（仏画）と撮影班として、ドイツ、ポーランド、チェコ、イギリス訪問。インド領TAWANへ国賓として日本人初訪問。
著作に『大人のぬりえ塾・百人一首画帖1・2』(美術出版社)、『仏教イラスト集』(共著、北辰堂)・『十三仏の描き方と鑑賞』(共著、大正大学出版会)・『般若心経の神髄』(共著、里文出版)・『日本文化のかたち百科』(仏画の色、いろいろ)担当（丸善株式会社)・『写仏　守り本尊　なぞり描き』(共著、リンケージワークス)・『姿とかたちの仏像事典』(共著、里文出版)・『写仏なぞり描き』(共著、リンケージワークス)その他。

## 曼荼羅美術館

平成14年、慈雲山曼荼羅寺観蔵院の施設として「世界平和は文化交流から」をコンセプトに、仏教の教えの発信と地域文化の発展を目指し開館。
所蔵する「金剛界曼荼羅」「胎蔵曼荼羅」は染川英輔画伯の大作で、実に18年の歳月を費やして完成された。八尺幅（約2m42cm）の大きな一枚ものの絵絹としては日本最大級を誇る。この両部曼荼羅を中心に、日本やネパールの仏画、古代インドの文字「悉曇文字（梵字）」の書、ミティラー民俗画、ミニアチュールなどのコレクションを展示している。（毎週土曜日と日曜日に開館・臨時休館有り）

# 一陽来福　― 観蔵院曼荼羅美術館の七十二候 ―

令和5年（2023）6月10日　発行

著　者
　　小峰　和子

発行所
　　青史出版株式会社
　　　〒356－0044　埼玉県ふじみ野市西鶴ヶ岡2－11、E102
　　　電話 049-265-4862／FAX 049-265-4867

印刷・製本　日本ハイコム㈱／レイアウト　Katzen House
Ⓒ KOMINE Kazuko 2023. Printed in Japan
ISBN978-4-921145-75-0 C0095